Françoise

Marie-Julie

Les Éditions du Vermillon reconnaissent l'aide financière
du Conseil des Arts du Canada, du Conseil des arts de l'Ontario,
de la Région d'Ottawa-Carleton,
et du gouvernement du Canada par l'entremise du Programme d'aide au développement de l'industrie de l'édition (PADIÉ) pour leurs activités d'édition.

Patrimoine canadien Canadian Heritage

Données de catalogage avant publication (Canada)

Brodeur, Hélène,
Marie-Julie : roman

ISBN 1-894547-04-7

I. Titre. II. Collection

PS8553.R632M37 2000 C843'.54 C00-901188-9
PQ3919.2.B76M37 2000

Couverture : **Christian Quesnel**

Les Éditions du Vermillon
305, rue Saint-Patrick
Ottawa (Ontario) K1N 5K4
Téléphone : (613) 241-4032 Télécopieur : (613) 241-3109
Adresse électronique : editver@magi.com
Site Internet : http:/francoculture.ca/edition/vermillon

Diffuseur
Prologue
1650, Lionel-Bertrand
Boisbriand (Québec) J7H 1N7
Téléphone : (1-800) 363-2864 (450) 434-0306
Télécopieur : (1-800) 361-8088 (450) 434-2627

ISBN 1-894547-04-7

Dépôt légal, premier trimestre 2001
Bibliothèque nationale du Canada

HÉLÈNE BRODEUR

MARIE-JULIE

ROMAN

DU MÊME AUTEUR

L'Ermitage. Roman, Éditions Prise de parole, Sudbury, 1996, 246 pages.

Les routes incertaines. Roman, troisième tome des **Chroniques du Nouvel Ontario**, Prise de parole, Sudbury, 1986, 240 pages.

Entre l'aube et le jour. Roman, deuxième tome des **Chroniques du Nouvel Ontario**, Les Quinze, Montréal, 1983; réédition chez Prise de parole, Sudbury, 1986, 240 pages.

La quête d'Alexandre. Roman, premier tome des **Chroniques du Nouvel Ontario**, Les Quinze, Montréal, 1981; réédition chez Prise de parole, Sudbury, 1986, 284 pages.

AVANT-PROPOS

Ce récit se fonde sur la vie de Marie-Julie Fluette, née en 1875. Alors qu'elle n'avait que seize ans, elle s'expatria, comme beaucoup de Québécois et de Québécoises de ce temps-là, pour aller travailler dans les filatures de la Nouvelle-Angleterre. (Un rapport de recensement américain de 1980 a relevé douze millions de descendants de ces Québécois disséminés à travers les États-Unis.)

Marie-Julie est revenue au Québec en 1896 pour épouser Victor Brodeur. Au cours de sa longue vie, elle a traversé toutes les misères du vingtième siècle, depuis la guerre des Boers en Afrique du Sud, jusqu'à la guerre de Corée (1950-1953), en passant par la Grande Guerre de 1914-1918, la Dépression de 1929-1939 et la Seconde Guerre Mondiale (1939-1945).

Quoique le Canada ait été épargné par ces conflits armés, ses fils et ses filles y ont largement pris part et ont généreusement payé leur tribut.

Marie-Julie est décédée en 1964 à l'âge de quatre-vingt-neuf ans. Elle avait donné naissance à neuf enfants. Elle les avait tous élevés jusqu'à l'âge adulte pour ensuite les voir mourir l'un après l'autre. Seul son cinquième fils lui a survécu.

Cette femme pour qui j'avais une grande admiration était ma grand-mère paternelle.

Qu'il me soit permis de témoigner ma reconnaissance à Roger Le Moine, professeur à l'Université d'Ottawa, qui m'a fait connaître le roman d'Honoré Beaugrand, *Jeanne la fileuse*, ainsi qu'au professeur Yvan Lepage de l'Université d'Ottawa et à son épouse Françoise, qui ont bien voulu relire mon texte et me prodiguer leurs conseils et leurs encouragements.

Photographie reproduite sur la couverture :

Mme Élarie Ronald et son enfant; Clarence, [ca 1905] /. Université d'Ottawa, Centre de recherche en civilisation canadienne-française. – Collection Centre culturel « La Sainte-Famille » (C80), Ph83-R13F6. Reproduit de la collection Lucy Wilson, Clarence Point, Ontario.

I

En m'éveillant la nuit dernière, un moment je n'ai plus du tout su où je me trouvais. J'avais encore dans l'oreille la voix de maman qui disait de son perpétuel ton d'indignation : « Non, mais qu'est-ce que j'ai fait au bon Dieu pour qu'il m'envoie une fille pareille! » Alors j'ai cru que j'étais dans la maison de mon enfance, la maison de mon père, Damase Guertin, de la paroisse de Saint-Protais. J'étais Marie-Julie Guertin, l'aînée de la famille, et, me semblait-il, une pesante croix pour ma mère, Blanche Pouliot Guertin. Maman s'attendait à ce qu'étant l'aînée, je sois un modèle pour le reste de la famille. Mais d'après elle j'étais, au contraire, la proie de toutes sortes d'idées qui ne se présentaient qu'à moi et qui n'entraînaient que des conséquences désagréables.

À ce moment j'ai pris conscience d'un ronflement familier, celui de ma compagne, Mademoiselle Malenfant, qui se plaignait toujours d'insomnie, mais qui, à peine couchée, remplissait la chambre des vibrations de son arrière-palais. Nul doute possible, je suis à l'Hospice pour dames des Sœurs du Mont-Thabor de Montréal, là où mon fils, l'abbé André Marcellan, chancelier du diocèse de Montréal, m'a fait admettre après mon malencontreux accident. Et cette fois-ci j'ai dû céder.

Dès qu'André est arrivé, appelé par sa sœur, la première chose qu'il m'a dite :

– Vous voyez bien que vous ne pouvez plus rester seule dans cette maison.

Avant que j'aie pu protester, il a ajouté avec ce sourire unique auquel je n'ai jamais su résister :

– Je vais vous trouver une bonne place à Montréal. Vous serez tout près de moi, et nous pourrons nous voir souvent.

Au fait, qu'est-ce qui m'avait valu cette gronderie de maman en ce beau dimanche de fin mai? Tout simplement que, déjà habillée pour la messe tandis que maman s'occupait de ma petite sœur Jeanne, j'étais sortie sur le perron. L'herbe était courte et verte, et d'une douceur si invitante que je n'ai pas pu m'empêcher d'enlever mes bas et mes bottines et de courir pieds nus dans l'herbe de la cour. Comme c'était doux et frais cette herbe tendre! Et même quand il y avait des flaques d'eau froides, la boue avait une plasticité si caressante que je me suis attardée à y patauger.

C'est à ce moment-là que la porte de la maison s'est ouverte et que maman est apparue sur le seuil.

– Marie-Julie! a-t-elle crié au comble de l'indignation. Tu cours dans les trous d'eau avec ta robe des dimanches! Une grande fille comme toi! Non, mais qu'est-ce que j'ai fait au bon Dieu pour qu'il m'envoie une fille pareille!

Pauvre André! Il avait bien dit que nous pourrions nous voir souvent. Eh bien, quelques semaines après mon arrivée, il avait été envoyé à Rome pour y étudier. Et maintenant, deux ans après, il revenait évêque coadjuteur désigné de Montréal.

Quel beau jour ç'avait été pour la supérieure, Sœur Saint-Édouard d'Alexandrie, que le jour où il m'avait amenée à l'Hospice.

– Ah, Monsieur le Chancelier, c'est un bien grand honneur pour nous que vous ayez choisi notre maison, avait déclaré Mère Saint-Édouard d'Alexandrie toute rougissante, frémissante d'excitation. Comme nous allons bien prendre soin de votre chère maman! Vous n'aurez pas à vous faire de souci, monsieur le Chancelier. Venez, je vais vous montrer la belle place que nous lui avons réservée, et après, vous nous ferez bien l'honneur de prendre quelque rafraîchissement, n'est-ce pas?

Elle nous avait précédés, moi m'appuyant au bras de mon fils et sur ma canne. Depuis cet accident stupide, mon genou gauche avait commencé à vieillir de façon inquiétante. Serait-ce une punition pour ce qui était arrivé jadis, quand pour la première fois j'avais entendu ma mère dire : « Qu'est-ce que j'ai fait au bon Dieu pour qu'il m'envoie une fille pareille? »

Comme nous arrivions à la chambre, Mère Saint-Édouard d'Alexandrie avait déclaré : « Elle aura une compagne exceptionnelle en Mlle Malenfant. C'est une personne qui a passé sa vie dans l'enseignement et qui a reçu la médaille du mérite scolaire des propres mains de Monseigneur l'Évêque. »

Et aujourd'hui, André revenait avec le titre d'évêque désigné, le paquebot qui le ramenait d'Italie devant accoster au port de Montréal en fin de journée. Ce qui n'avait pas manqué de plonger Mère Saint-Édouard d'Alexandrie dans des ravissements qui frôlaient l'extase.

Malgré moi, mon imagination revenait à ce dimanche d'autrefois, alors que j'avais dix ans et que je me préparais à la première communion. Pendant toute la semaine, j'étais allée au catéchisme, et ce jour-là c'était la visite pastorale de Monseigneur l'Évêque.

Il faisait chaud pour un début de juin. La famille avait pris place dans le buggy, c'est-à-dire ma sœur Jeanne et moi, puisque notre petit frère Marcel, qui n'avait que trois ans et était turbulent, et Alyre, le bébé, resteraient à la maison avec Mémère Pouliot, la mère de maman. Quant à Jeanne, papa avait dû la soulever pour la mettre dans la voiture, car elle était infirme.

Je me rappelais très bien les grandes vacances d'été d'il y avait trois ans (comment aurais-je pu oublier?), alors que Jeanne et moi nous nous amusions à grimper sur l'énorme roche qui se trouvait à l'entrée du verger. Il y avait, autour, des roches plus petites sur lesquelles on pouvait grimper pour arriver jusqu'en haut. Ce n'était pas la première fois que nous montions jusqu'au sommet. Cependant, ce jour-là, Jeanne avait soudain glissé et dégringolé. Sa jambe était restée coïncée entre deux roches. Ma sœur était devenue toute blanche, respirant à peine. J'avais bien essayé de la dégager, mais je n'y étais pas parvenue. Alors j'ai couru chercher maman. Elle-même avait eu beaucoup de difficulté à l'extraire de là. Elle l'avait portée jusqu'à la maison et l'avait étendue sur son grand lit. Comme Jeanne était toujours inconsciente, j'avais couru chercher mon père qui travaillait au bout de la ferme. Quand nous sommes revenus, Jeanne avait repris connaissance, mais elle pleurait doucement.

– Regarde sa jambe, lui dit maman. Je crois qu'elle est cassée, elle est toute croche.

– J'vais atteler la jument et on va l'amener chez Mary Bousquet, la ramancheuse.

Quand ils étaient revenus, la jambe de Jeanne était droite, et le genou pliait, mais Mary Bousquet avait dit de ne pas trop s'en servir pendant quelques jours.

Le lendemain, le curé était venu pour sa visite paroissiale, et quand il avait vu Jeanne allongée sur le sofa, maman lui avait raconté ce qui était arrivé.

– Il faut aller voir le docteur, avait-il dit. Je ne crois pas à ces « ramancheurs ». Le docteur pourra s'assurer que tout est bien remis en place, sinon la petite peut rester infirme.

Il y avait eu une grande discussion entre papa et maman, papa disant que Mary Bousquet avait bien replacé les os, maman répliquant qu'il fallait écouter le curé.

Le lendemain matin, papa et maman avaient emmené Jeanne chez le docteur Prévost, à la ville voisine. Quand ils étaient revenus, Jeanne était toute blanche et sa jambe était maintenue par des éclisses. Lorsque, après quarante jours, comme le docteur l'avait dit, on avait enlevé les éclisses, la jambe était restée raide : le genou ne pliait plus. Maman avait sangloté et elle m'avait dit :

– Non, mais qu'est-ce que t'avais d'affaire à emmener ta petite sœur grimper sur la grosse roche? T'as toujours des idées pas comme les autres. Non, mais qu'est-ce que j'ai fait au bon Dieu pour qu'il m'envoie une fille pareille!

Ce dimanche-là, Monseigneur avait fait un sermon long, très long, dans lequel revenaient ces mots : « Le bon Dieu nous dit… Jésus nous dit… » Cela m'avait grandement intriguée. Comment faisait-il pour parler avec le bon Dieu? Pour lui demander d'avoir une conversation avec lui? Peut-être, comme Mémère Pouliot, qui frappait de sa canne le tuyau du poêle de sa chambre quand elle avait besoin de quelque chose.

Probablement qu'il avait dans sa maison une pièce avec un tuyau de poêle tout doré qui sortait vers le ciel. Quand il voulait parler avec le bon Dieu, il allait là, vêtu de ses beaux habits et coiffé de sa mitre. Alors, il frappait sur le tuyau avec sa crosse et le bon Dieu répondait :

– Oui, qu'est-ce que c'est?

Maman m'a secouée et m'a chuchoté :

– Tu rêves, Marie-Julie. Mets-toi debout comme tout le monde.

Madame L'Heureux, la femme du forgeron, qui se déplaçait avec difficulté, s'est levée en même temps que moi. Les L'Heureux occupaient le banc en avant des Guertin, et souvent je me perdais dans la contemplation du « tour de cou » de Mme L'Heureux, une parure de fourrure qu'elle portait sur l'immense manteau bleu marine destiné à couvrir une obésité remarquable. Cette parure consistait en une demi-douzaine de taupes dont chacune tenait dans sa petite bouche la queue de celle qui la précédait. Je ne cessais d'être fascinée par leurs petits yeux brillants et par leurs petits museaux.

Enfin, c'était terminé. Nous sommes sortis de l'église, et pendant que papa et maman parlaient aux gens, j'ai couru rejoindre mon amie Cécile, la fille de notre voisin. J'étais un peu jalouse d'elle parce qu'elle avait de beaux cheveux blonds dorés et des yeux bleus alors que mes cheveux à moi, tout comme mes yeux, étaient d'une sorte de brun pâle. Mais c'était quand même ma meilleure amie, nous jouions toujours ensemble depuis notre première enfance.

– Tu vas venir me chercher demain pour le catéchisme ?

– Mais oui, comme d'habitude.

– J'te dirai comment Monseigneur parle avec le bon Dieu.

– Comment tu sais ça, toi ?

Je me suis contentée de sourire. Cécile appelait ça mon petit sourire agaçant. « J'le sais. Je t'expliquerai... »

– Marie-Julie ! avait appelé maman. Viens, nous partons !

Jeanne était déjà dans la voiture. On n'attendait plus que moi.

En arrivant à la maison, j'ai sauté en bas du buggy.

– Allez ôter votre linge des dimanches, les filles.

– Oui, maman. J'peux marcher nu-pieds, n'est-ce pas ? Il fait assez chaud.

– Oui, mais allez pas jouer dans les trous d'eau. La terre est encore fraîche.

Pour ma part, il n'y avait rien que j'aimais mieux que de courir pieds nus dans l'herbe nouvelle du printemps.

Le lendemain, alors que Cécile et moi marchions ensemble pour nous rendre au village, au catéchisme, je lui ai expliqué comment Monseigneur l'Évêque parlait avec le bon Dieu. Cécile a refusé de me croire et n'a rien eu de plus pressé que de répéter mon explication aux autres enfants. Une grande discussion s'en est suivie. Le vicaire qui dirigeait l'instruction est sorti du presbytère et a saisi des bribes de conversation en se dirigeant vers le groupe.

– Venez, les enfants, il est l'heure.

– Est-ce vrai, Monsieur le Vicaire, que Monseigneur l'Évêque parle avec le bon Dieu en frappant avec sa crosse sur un tuyau de poêle? avait demandé Jean-Marie Letellier, toujours prêt à «bavasser» pour faire punir les autres.

M. le Vicaire avait été indigné et quand il avait appris que j'étais l'auteur de cette histoire, il avait menacé de me renvoyer du catéchisme.

– Comment peux-tu manquer de respect envers sa Grandeur Monseigneur en inventant des choses pareilles? avait-il clamé sévèrement. Il va falloir que j'en parle à tes parents.

Cette menace m'a donné froid à l'estomac. Je pouvais facilement imaginer quelle serait la réaction de maman lorsque le vicaire lui raconterait cette histoire.

– Madame Marcellan, réveillez-vous! Il est temps de vous lever et de vous habiller. Je viendrai vous chercher tout à l'heure avec la chaise roulante pour la grand-messe.

Une demi-heure plus tard, Mère Saint-Édouard d'Alexandrie était de retour. Elle m'a poussée jusque dans le chœur, là où on mettait les dames impotentes, afin qu'il fût plus facile pour M. l'Aumônier de leur distribuer la communion. Après l'évangile, celui-ci a gravi les marches de la chaire et promené un regard d'autorité sur l'assistance.

– *Quid enim prodest homini, si mundum universum lucretur, animae vero suae detrimentum patiatur?* a-t-il déclamé d'un ton solennel.

Après un moment de silence, pour bien montrer que lui connaissait le latin et nous non, il a daigné traduire :

– Que sert à l'homme de gagner le monde entier, s'il perd son âme?

C'était exactement cette citation qu'avait choisie le curé de Saint-Protais, en ce dimanche lointain où je me préparais à partir pour les États-Unis avec mon parrain et ma marraine, l'oncle Denis Pouliot et la Tante Oblore, sa femme. D'ailleurs, je ne devais pas être seule à partir puisque trois familles s'apprêtaient à les accompagner au Massachusetts.

Le curé, qui voyait sa paroisse se vider peu à peu, déplorait cette émigration. Seul l'appât du gain, le miroitement des richesses lointaines, pouvaient expliquer un tel geste, selon lui.

– Et combien de ces malheureux exilés perdront-ils leur âme immortelle, leur langue et leur foi? avait-il tonné.

J'ai jeté un coup d'œil à mon père. Il semblait très impressionné par l'éloquence du curé et, encore une fois, mon cœur se serra. S'il fallait qu'il m'empêche de partir? Je n'aurais plus qu'à mourir.

Depuis le premier jour de l'arrivée de nos visiteurs des États, quand l'oncle Denis avait proposé à papa d'emmener sa fille aînée avec lui, j'avais été partagée entre le bonheur et le désespoir : la joie de voir enfin des horizons nouveaux, de gagner de l'argent, mais aussi la crainte que ce soit trop beau, qu'il se produise quelque chose pour empêcher le départ.

À la sortie de l'église, j'ai discrètement suivi papa et mon oncle afin de prêter l'oreille à leur conversation. Un groupe d'hommes s'était vite agglutiné autour d'eux.

– Hein Denis, dit l'un d'eux, tu t'es fait conter ça par le curé!

– En tout cas c'est pas le curé qui aurait pu établir mes garçons. Tu l'sais, Hilaire, que j'ai six garçons et seulement une fille. Eh bien, depuis que nous sommes rendus là mon plus vieux s'est marié avec une bonne Canadienne catholique. Il a son logis à lui et un salaire à l'usine. Mes trois plus jeunes sont encore à l'école, mais Henri va avoir ses quatorze ans l'été prochain, alors il pourra commencer à la Dwight Manufacturing lui aussi. J'ai pus de dettes. Qu'est-ce que je pourrais demander de plus? Et qu'est-ce que j'aurais fait si j'étais resté ici, dis-moi ça, Hilaire? C'est pas avec ma petite terre de roches que j'aurais pu faire ça.

J'étais tellement occupée à écouter que je n'ai pas remarqué la grande ombre de Victor qui s'approchait, le « bon géant », comme on l'appelait, à cause de sa carrure imposante et de son naturel paisible.

Victor avait déménagé à Saint-Protais l'année précédente avec ses parents et ses deux sœurs. Son père avait aussitôt ouvert un magasin général qui faisait concurrence à celui du vieux Gendron, pendant des années l'unique établissement de Saint-Protais. La première fois que Victor avait vu Marie-Julie, il en avait été ébloui :

– Alors, Marie-Jolie, toujours décidée à partir?

– Oui, Victor, j'manquerai pas c'te chance-là, tu peux être sûr.

Je vis passer une lueur de tristesse dans les yeux bleu-gris de Victor.

– C'est pour quand?

– Pour mercredi.

– J'peux aller te voir à soir?

– Si tu veux, mais j'changerai pas d'idée.

Depuis qu'il était revenu des chantiers forestiers du Maine, il se présentait fidèlement chaque dimanche soir. J'en étais contente. Je venais d'avoir seize ans, et moi aussi j'avais un cavalier officiel qui venait à la maison, mon premier. Mais dès que ma marraine m'avait parlé de m'emmener aux États-Unis, je n'avais pas hésité.

Ce soir-là, Victor avait déployé une éloquence à laquelle je ne m'attendais pas.

– Marie-Jolie, Marie-Jolie! (il m'avait appelée comme cela dès le premier dimanche) qu'est-ce que je vais faire sans toi? Et j'ai terriblement peur de te perdre. J'voudrais qu'on se marie tout de suite, mais mon père dit que je dois attendre d'avoir vingt ans. Quand vas-tu revenir?

– Probablement l'été prochain. Mon oncle dit qu'on peut prendre des vacances une fois par année.

– Tu vas m'écrire?

– Oui, Victor. J'te dirai comment c'est là-bas, et je te donnerai mon adresse.

– J'te répondrai. Mais tout de même, tout un an sans te voir... tu es si jolie avec tes beaux yeux brun doré, et tes cheveux de la couleur du bon sirop d'érable, avait-il ajouté en soulevant et en caressant mes cheveux soyeux.

Il avait jeté un coup d'œil à ma mère qui s'était assise à la table de cuisine de façon à surveiller ce qui se passait sur le canapé du salon, tout en lisant les Annales de Sainte-Anne de Beaupré, puisque c'était dimanche. Mais, comme d'habitude, elle avait fini par s'endormir, malgré le bruit des conversations entre son mari, Denis et Oblore, et quelques voisins qui étaient venus se joindre au petit groupe sur la galerie. Alors, Victor avait osé me passer le bras autour des épaules et, de sa grande main chaude, il avait tourné mon visage vers le sien. Après avoir vérifié que maman dormait toujours, il avait osé m'embrasser sur la bouche.

Certes, j'avais souvent rêvé de ce premier baiser, et même si ce baiser avait été très pudique (je m'en rendrais compte plus tard), j'avais été remuée jusqu'au tréfonds de mon être de sentir ces lèvres masculines, et les durs poils de barbe, effleurer les miennes. Victor était un homme. Il avait dix-huit ans.

– Voyez Mesdames, avait chuchoté la Supérieure, notre chère Madame Marcellan est complètement abîmée dans son oraison. C'est avec une ferveur pareille qu'on se mérite l'honneur d'avoir un fils évêque.

Puis, s'approchant de moi : « Excusez-moi, chère Madame Marcellan, mais c'est l'heure d'aller déjeuner. Vous pourrez continuer vos dévotions après. »

La Supérieure elle-même m'avait poussée jusqu'au réfectoire, puis, après le repas, jusqu'à ma chambre.

Là, Mlle Malenfant avait voulu entamer la conversation, mais je ne l'avais pas encouragée.

– Je crois que je vais m'étendre sur mon lit. Je n'ai pas fermé l'œil de la nuit...

Le flot de paroles continuait. Comme je ne répondais pas et que je feignais de dormir, elle a fini par se décourager et est sortie en quête d'interlocutrices plus valables.

II

Ah, ce voyage aux États-Unis! Le mercredi matin j'étais éveillée et je ne pouvais plus dormir tant j'étais énervée. Je n'ai pas osé me lever avant d'entendre maman dans la cuisine préparer le déjeuner. L'avant-midi a fini par s'écouler et en sortant de table, papa a attelé les chevaux pour nous conduire à la gare de la petite ville voisine, où passait le chemin de fer qui nous mènerait à Boston puis, de là, à Springfield au Massachusetts.

Sur le quai de la gare, nous avons retrouvé les Lassonde et leurs deux petits garçons, les Letellier et leurs quatre enfants, ainsi que les Caza, un jeune couple qui s'était marié au printemps. Ils étaient un peu nerveux, bien sûr, de partir pour un si grand voyage, mais chacun plaisantait et riait pour cacher son émotion.

Puis la locomotive est entrée en gare et s'est immobilisée devant le quai dans un grand bruit de ferraille et un nuage de fumée noire et huileuse. L'oncle Denis, en homme d'expérience, nous a guidés vers la portière où attendait le conducteur. Mon cœur battait lorsque je suis entrée dans le wagon que je n'avais vu jusque-là que de l'extérieur. Je me suis assise sur la banquette, en face de mon oncle et de ma tante, près de la fenêtre.

Quand le train a démarré, j'ai regardé fuir le quai de la gare, puis les rues de la petite ville, de plus en plus rapidement, jusqu'à ce qu'on atteigne la vitesse d'un cheval le mors aux dents. Le paysage, les arbres, les maisons défilaient tellement vite que j'en étais étourdie. Je me suis caché le visage dans les mains et j'ai regardé entre les doigts mon oncle avec inquiétude.

– T'as pas à t'inquiéter, petite, me dit mon oncle. Le train va continuer à cette vitesse-là jusqu'à ce qu'on arrive à Boston demain matin. Mais t'as pas besoin d'avoir peur. C'est pas dangereux. Il arrivera rien.

Ils avaient l'air si confiants tous les deux, que j'ai de nouveau regardé le paysage par la fenêtre. Ce devait être de cette façon-là, me disais-je, que les oiseaux voyaient la terre lorsqu'ils volaient au-dessus.

À la fin de l'après-midi, tante Oblore a ouvert son panier et distribué des sandwiches, des gâteaux et des fruits. Dans la soirée, elle m'a dit :

– Et maintenant, ma belle, tu devrais t'installer pour dormir; nous n'arriverons pas à Boston avant demain matin.

Mais je me suis bien promis de ne pas dormir, de rester éveillée toute la nuit, car je ne voulais rien perdre du voyage. De temps à autre, le train s'arrêtait dans une gare. Quelques personnes montaient à bord, d'autres en descendaient, puis le mastodonte reprenait de plus belle sa course folle.

Malgré mes bonnes résolutions, j'ai dû dormir car je me suis en effet réveillée en sursaut pour voir le soleil déjà levé à l'horizon et le train ralentir et enfin s'arrêter devant une gare qui me parut immense.

– Tiens, dit l'oncle Denis, te voilà réveillée, et juste à temps. C'est Boston, et il faut descendre. Rassemble toutes tes affaires car il ne faut rien oublier. C'est ici qu'on prend le train pour Springfield, mais rien ne presse : nous avons deux heures à attendre avant qu'il arrive.

La porte de la chambre s'est ouverte brusquement et la Supérieure a paru sur le seuil :

– Vous n'avez pas entendu sonner la cloche du dîner, Madame Marcellan ? Venez, asseyez-vous dans votre fauteuil roulant, je vais vous emmener au réfectoire.

Sans répondre, je me suis assise sur le bord de mon lit et j'ai remis mes chaussures avant de prendre place dans le fauteuil roulant que m'avançait Mère Saint-Edouard d'Alexandrie. Mon esprit était encore tout plein des émotions qui m'avaient agitée lors de notre arrivée à Springfield. Aussi, une fois le repas terminé, ai-je refusé l'offre de la supérieure de me conduire à la salle de récréation, préférant retourner à ma chambre.

– Ce n'est pas bien de rester couchée, chère Madame Marcellan. Vous allez perdre des forces. Et apparemment, le navire n'accostera pas avant sept heures ce soir, et encore, s'il n'a pas été retardé.

Pour qu'elle s'en aille et me laisse seule, je me suis installée dans le fauteuil près de la fenêtre. Après d'autres amabilités, Sœur Saint-Édouard est enfin partie, mais elle a laissé la porte ouverte. J'ai pris ma canne et je suis allée la refermer. Alors seulement, j'ai pu me replonger avec délices dans les événements qui avaient marqué mon arrivée au Massachusetts et qui en avaient fait une journée inoubliable.

En descendant du train à la gare de Springfield, nous avons trouvé Réal, l'aîné des fils de l'oncle Denis, venu nous accueillir.

– Comment va Ermina ? demanda Tante Oblore, après les présentations d'usage.

– Pas mal, mais comme c'est pour dans trois semaines, ça la fatigue. J'aime mieux qu'à se repose. Un premier bébé, c'est pas que la petite affaire.

Ce disant, Réal s'est emparé de la plus grosse des valises et s'est dirigé vers la rue principale : pour y attendre le tramway, m'a-t-il dit. Je n'ai pu m'empêcher d'être surprise lorsqu'après quelques minutes, j'ai vu ce qui s'avançait. Cela ressemblait à un wagon de chemin de fer sans locomotive pour le tirer. Quand j'en fis la remarque à Réal, il m'apprit que si j'étais venue trois ans plus tôt, j'aurais vu des tramways tirés par une paire de chevaux. Mais là, depuis deux ans, ils avaient des tramways électriques, même entre les villes.

Après une dizaine de minutes, l'oncle Denis a annoncé :

– Maintenant, on entre dans Chicopee. C'est là qu'on a notre *tenement*.

– C'est quoi, un *tenement*?

– C'est un appartement qu'on loue de la Compagnie. C'est ben commode parce que c'est tout près du moulin. Alors on marche pour se rendre au travail. Tu vas voir. Dans cinq minutes, on y sera.

Lorsque le tramway s'est arrêté, j'ai suivi la famille, non sans regarder avec surprise cette rue qui dévalait jusqu'au canal et qui était bordée, de chaque côté, d'immeubles de trois étages, tous pareils, avec une large entrée centrale dotée d'une porte double. L'oncle Denis s'est dirigé vers l'un de ces immeubles.

L'appartement, au deuxième étage, était spacieux. Au fond se trouvait une grande cuisine dont une porte donnait sur une espèce de corridor qui menait à un escalier descendant dans la cour, où, disait Tante Oblore, le laitier, les livreurs d'épiceries et autres, venaient porter les marchandises. Il y avait aussi trois chambres à coucher, et un grand salon en avant.

Tante Oblore m'a présenté la famille :

– Voici Marie-Julie, votre cousine du Canada. Ici, Félix : il travaille à l'usine. Et Annette, elle va commencer avec toi, demain, et enfin, Henri, Joseph et Olivier, qui sont encore à l'école.

Ma cousine Annette m'a entraînée dans sa chambre :

– Tu peux pas savoir comme je suis contente que tu sois venue. Tu vas partager ma chambre et, tu sais, je vais aller avec toi à l'usine. J'ai eu mes quatorze ans en juillet. Papa m'a dit que Réal a fait des arrangements et qu'on va y aller toutes les deux demain matin. As-tu hâte ?

– Mais oui, j'ai hâte, mais j'ai un peu peur aussi. Tout à coup j' suis pas capable de bien travailler comme ils me demanderont...

Annette a éclaté de rire :

– T'as pas à t'inquiéter. Ils nous montrent les tâches et nous laissent pas seules avec les machines. Mais tant que t'auras pas appris, tu seras pas payée.

Après souper, quelques voisins sont venus prendre des nouvelles du pays. Ils n'ont pas veillé tard, car, comme a dit notre voisin, M. Baillargeon, « demain la cloche du moulin sonnera à six heures et à six heures et demie, tout le monde devra être au travail ».

Le lendemain matin, il m'a semblé que je venais de me coucher quand Tante Oblore est venue me réveiller :

– Il est cinq heures, Marie-Julie. T'as juste le temps de t'habiller et de venir déjeuner. Ton oncle part d'ordinaire vers six heures et quart, mais là il veut partir un peu plus tôt pour vous présenter au surveillant.

Nous avions toutes deux, Annette et moi, préparé nos vêtements la veille au soir. Je devais mettre une robe foncée et Tante Oblore nous avait donné à chacune un grand tablier blanc « pour nous protéger de la mousse, et un bonnet de coton pour nos cheveux ».

En arrivant dans la cuisine, nous avons trouvé oncle Denis et Félix déjà attablés.

– Alors, c'est à matin que vous commencez votre travail, nous dit oncle Denis. Vous êtes prêtes?

– Mais oui, avons-nous répondu en chœur.

Tante Oblore nous a servi des crêpes et, à six heures moins dix, nous avions terminé. Il faisait frais en ce matin du premier août 1893, cependant le ciel sans nuage annonçait une chaude journée.

Nous nous sommes jointes aux ouvriers et ouvrières qui attendaient en rang que s'ouvre la barrière au son de la cloche de six heures, pour s'engouffrer en masse dans l'usine. Annette et moi avons suivi oncle Denis qui nous a présentées en anglais au surveillant, ajoutant que sa nièce, qui venait d'arriver du Canada, ne comprenait pas encore cette langue. Puis il a traduit la réponse pour moi, disant que toutes deux serions aide-fileuses, et qu'il voulait bien, pour le moment, me donner la chance de travailler avec une dame de langue française. Seulement, a ajouté le surveillant, j'aurais tout intérêt à apprendre l'anglais le plus vite possible. Ensuite, oncle Denis s'en est allé à son travail tandis que le contremaître nous conduisait à la salle de filage.

La porte de la chambre s'est ouverte et Mademoiselle Malenfant est entrée :

– Comment, Madame Marcellan, vous n'êtes pas venue à la récréation?

– Non, je me sentais un peu fatiguée...

– C'est comme moi, a enchaîné la demoiselle. J'ai pas fermé l'œil de la nuit. Alors je vais essayer de dormir un peu en attendant les vêpres.

Elle a enlevé son couvre-pieds et s'est étendue sur son lit. Comme je m'y attendais, quelques minutes plus tard le ronflement familier remplissait la chambre. C'était presque aussi bruyant que le tapage qui s'est déclenché dans la salle de filage à six heures et demie du matin, précisément. De nouveau les cloches ont sonné. La grande roue motrice dans le sous-sol de l'usine s'est mise à tourner et toutes les machines se sont activées en même temps.

J'avais quand même eu le temps de faire connaissance avec Carmelle, la jeune femme dont je devais être l'assistante. Elle était grande et robuste, avec des joues très roses, des cheveux noirs brillants et des yeux noirs. Elle avait deux nouvelles machines à surveiller, des métiers à broches horizontales, m'a-t-elle dit.

– Ainsi, tu viens d'arriver du Canada? De quel endroit?

– De Saint-Protais. C'est à une vingtaine de milles au sud de Sherbrooke.

– Ah, bon. Moi je suis de près de Joliette. Et maintenant je vais t'expliquer ton ouvrage. C'est pas difficile, tu sais, a-t-elle ajouté en voyant ma nervosité. Tout ce que t'as à faire, c'est de porter des paniers, un de bobines vides, l'autre de bobines pleines. Tu vides les pleines dans l'espèce de bac que tu vois là-bas, puis tu vas à l'autre bac. C'est là que les « tube boys » mettent les bobines vides. Tu remplis ton panier de bobines vides et tu me les rapportes, sans perdre de temps car, tu comprends, les machines ne t'attendront pas. Faut pas t'inquiéter. J'te ferai signe quand ce sera le temps de m'apporter les bobines. Compris?

J'ai opiné, mais j'étais si tendue que, au signal de Carmelle, j'ai couru porter les bobines pleines à l'endroit et couru pour revenir, oubliant d'apporter les bobines vides. J'ai couru encore plus vite pour aller les chercher pendant que Carmelle attendait.

Les fois suivantes, je n'ai rien oublié. Mais j'étais si nerveuse que je me heurtais aux autres aides-fileuses, aux « tube boys » qui apportaient les paniers pleins à la salle de tissage, aux autres employés qui semblaient toujours en mouvement pour accomplir quelque tâche. À cela s'ajoutait la chaleur croissante de cette belle matinée d'août et la fine poussière de coton qui s'élevait de chacun des métiers de filage et flottait dans l'air jusqu'à créer une espèce de brume légère qui s'infiltrait dans le nez et dans la gorge qu'elle desséchait. Aussi, quand à dix heures et demie la cloche a retenti et que toutes les machines se sont immobilisées ensemble, je me suis sentie tout étourdie.

– Qu'est-ce qui se passe?

– C'est une pause de quinze minutes. T'es-tu apporté de l'eau?

– Je crois que ma tante en a mis une bouteille dans mon dîner.

– Tu ferais bien d'en apporter une autre pour la journée. Avec la chaleur qu'il fait, tu vas en avoir besoin. Tiens, prends la mienne.

– Ah, merci.

Pendant que je buvais, Carmelle s'est mise à m'expliquer que je ne devais pas m'énerver ni courir.

– D'abord, tu dureras pas la journée à c'te train-là. Il vaut mieux prendre ça calmement, planifier sa route vers les bacs de bobines pleines et de bobines vides, tu comprends?

J'ai fait oui de la tête, car ma gorge était si sèche qu'aucun son ne voulait en sortir. Avant que j'aie repris mon souffle, les machines ont recommencé leur train d'enfer. Avec le temps, tout ça m'est devenu familier, et j'ai appris à travailler efficacement, en économisant mes gestes pour conserver mon énergie. Aussi, à mesure que l'automne approchait, la chaleur diminuait, mais la poussière, la peluche de coton qui flottait dans l'air demeurait toujours incommodantes.

La semaine de travail étant fixée à soixante heures par l'État du Massachusetts, on travaillait assez durant les cinq premiers jours pour quitter à trois heures de l'après-midi le samedi.

Chaque soir, je me couchais de bonne heure et je sombrais aussitôt dans un sommeil profond dont Tante Oblore devait me tirer tous les matins à cinq heures et demie. Si j'avais eu le loisir de songer avant de m'endormir, je me serais peut-être demandé si ça avait été une bonne affaire de venir aux États-Unis. Mais au dernier jour du mois, quand j'ai reçu mon enveloppe de salaire et que j'y ai découvert six dollars et quatre-vingt-seize sous, presque sept dollars, j'en ai été émerveillée.

Le surveillant, un grand et gros américain de descendance allemande, m'a dit qu'il était très satisfait de mon travail et qu'il allait me recommander pour que je passe de soixante-huit sous par jour à soixante-dix. Une fois que j'ai eu remis à tante Oblore les quatre dollars de pension pour les deux dernières semaines, je me suis excusée de ne pouvoir lui rembourser en entier le prix de mon billet de chemin de fer, soit huit dollars, mais elle m'a rassurée :

– Garde le reste, ma fille. T'auras peut-être besoin de petites choses. Tu me le remettras le mois prochain, alors que tu seras payée pour un mois complet.

Il me restait presque trois dollars! Pour le moment je me suis contentée de mettre mon argent dans une petite boîte de carton où je conservais les lettres que je recevais. Plus tard j'ai appris qu'il existait des caisses d'épargne où on pouvait déposer son argent en toute sécurité.

Carmelle me confia qu'elle n'était mariée que depuis la fin du mois de juin.

– J'espère que j'partirai pas pour la famille tout de suite. J'aimerais ça travailler quelques mois avant d'être obligée d'arrêter.

Le mois de septembre a ramené l'ouverture des écoles, et aussi la reprise des cours du soir en langue anglaise. Je suis allée m'y inscrire. La première fois, j'ai été surprise d'y voir un bon groupe de personnes du Québec, ainsi que des Européens, des Polonais, des Russes et d'autres qui ne parlaient ni l'anglais ni le français.

Tous les deux dimanches, Réal, l'aîné des enfants de Tante Oblore, venait dîner avec sa jeune femme, Ermina, et son bébé, le petit Raoul. Les autres dimanches, ils les consacraient aux Tremblay, les parents d'Ermina.

Un dimanche du mois de novembre, Réal a surpris toute la famille en annonçant qu'il allait quitter la Dwight.

– Quitter la Dwight! s'exclama son père. Pour quelle raison?

– Parce que je crois qu'il s'en vient une récession dans les moulins à coton. Vous connaissez Pierre, le garçon de Pit Beauparlant, qui travaille avec moi comme « warper ». Y m'dit que son frère, qui est rendu à Fall River, vient de se faire « layoffer ». Alors, avant qu'ils commencent la même chose par ici, j'vais me trouver une place plus sûre, surtout maintenant que j'ai une famille à faire vivre.

– Où est-ce que tu vas aller?

– La Strathmore Paper Company va ouvrir ses portes la semaine prochaine et ils cherchent des employés. J'suis déjà allé voir, et ils vont me prendre. Vous feriez bien de faire la même chose, son père.

– Pas moi! Ça fait plus de dix ans que j'travaille pour la Dwight. Y ont toujours été bons pour moi. Vas-tu avoir un salaire qui a du bon sens?

– Mieux que c'que j'ai à la Dwight. À la Strathmore, on m'offre une piastre et quatre-vingts cents par jour pour commencer. Qu'est-ce que vous pensez de ça, son père?

– Ouais, mais qu'est-ce qui te dit que ça va durer? On en a déjà vu des nouvelles industries qui ont fait faillite en dedans d'un an.

– Et qu'est-ce qui vous dit que la Dwight va durer? Y paraît qu'il y a des manufactures de coton qui sont déjà déménagées dans le Sud, en Alabama, en Georgie et ailleurs.

Le repas étant fini, Tante Oblore invita tous les hommes à passer au salon pour permettre aux femmes de laver la vaisselle.

Une fois cette corvée finie, je suis allée dans ma chambre pour écrire des lettres, d'abord à ma famille, ensuite à Victor. Dans sa dernière lettre, Victor me disait qu'il n'irait pas cet hiver travailler dans les chantiers forestiers du Maine, parce que son père avait été malade et qu'il lui faudrait le remplacer au magasin :

– Si j'étais allé travailler si près de toi, je crois que je n'aurais pas pu résister à l'envie d'aller te voir le printemps prochain. Comme c'est là, va falloir que j'attende que tu viennes pour tes vacances à l'été. Ça va être bien long.

Cher Victor! Depuis que j'étais à Chicopee, des garçons m'avaient témoigné de l'intérêt, des jeunes gens qui venaient veiller chez oncle Denis, de même qu'un grand blond de Saint-Eustache qui était inscrit au cours du soir d'anglais avec moi. Mais tous me paraissaient fades à côté de Victor. Était-ce un effet de l'éloignement? Il me semblait que j'aurais donné n'importe quoi pour entendre Victor m'appeler « Marie-Jolie »...

À la fin du mois d'octobre, j'ai trouvé seize dollars et quatre-vingts sous dans mon enveloppe de paie. Quand je me suis mise à songer que j'en aurais autant à la fin de novembre, et chaque mois qui suivrait, je pouvais à peine le croire. Aussi je me suis dit que j'enverrais de l'argent à mon père pour acheter des étrennes à ma sœur et à mes frères. Non, pour Jeanne, je lui enverrais de l'argent directement, pour elle seule. Peut-être pourrait-elle se procurer une robe neuve pour les Fêtes? Pauvre chère Jeanne, elle avait eu si peu de gâteries dans sa vie.

La douceur du climat m'étonnait. On approchait de Noël. Ici, il avait neigé quelques fois, mais en un jour ou deux, tout avait fondu. Même le jour de Noël, il n'y avait pas de neige.

J'ai également été étonnée de constater qu'il n'y avait pas de messe de minuit. Comme me l'a expliqué oncle Denis, en Nouvelle-Angleterre, à Holyoke, à Springfield, partout où les gens travaillaient dans des usines, les curés avaient perdu l'habitude de dire des messes de minuit. La plupart du temps Noël tombait un jour de semaine, alors on travaillait la veille jusqu'à six heures du soir, et même si Noël était un congé, le lendemain était jour de travail ordinaire. Ainsi, cette année de 1893, Noël tombant un lundi, on aurait un beau congé de deux jours de suite. Deux ans plus tôt, alors que Noël était tombé un vendredi, on avait travaillé le jeudi jusqu'à six heures, et le samedi, de six heures et demie du matin à trois heures de l'après-midi comme d'habitude.

– Non, soupira oncle Denis, les messes de minuit c'est juste un beau souvenir de par chez nous.

Le vingt-cinq décembre, à la grand-messe, le chœur avait chanté les vieux airs de Noël, mais tout de même, pour moi, ça ne remplaçait pas l'émotion que suscitait, à

Saint-Protais, la belle voix de Paul Lagrange entonnant le *Minuit, chrétiens*! Après la messe, on s'est attardé sur le perron de l'église, pour jaser avec des amis.

Carmelle est venue me retrouver et m'a chuchoté à l'oreille qu'elle ne pourrait pas travailler bien longtemps car elle attendait du nouveau pour le début du mois de juin :

– Tu pourrais me remplacer.

– Moi! Je saurais pas.

– T'en fais pas, je vais te montrer. Peut-être que tu pourras pas t'occuper des deux métiers pour commencer, mais tu peux en prendre au moins un. Ça te fera plus d'argent. Demain, je commencerai à te montrer.

III

Comme elle me l'avait promis, Carmelle avait demandé, le lendemain, à M. Hanmer la permission de m'initier au filage. Il avait consenti à condition que cela ne retarde pas le travail.

Je m'étais donc efforcée d'apprendre au plus tôt, car cette pauvre Carmelle souffrait de nausées, surtout le matin. Alors elle me disait : «N'arrête pas la machine à moins que quelque chose aille vraiment mal. Tu comprends?» Pendant que Carmelle courait à la toilette des dames, le cœur battant, je surveillais les deux machines. Parfois j'aurais juré que ces machines étaient habitées par des esprits malins qui embrouillaient les fils dès que Carmelle s'éloignait. Lorsqu'elle revenait, elle m'expliquait patiemment ce qu'il fallait faire quand un fil se cassait, ou lorsqu'un nœud se créait, comment raccorder les fils sans qu'il n'y paraisse, comment arrêter la machine juste au moment où la bobine était pleine, comment engager le fil dans la bobine vide. Tant et tant de choses auxquelles il me fallait penser... Et quand je commençais à croire tout connaître, il se présentait une nouvelle difficulté.

– Qu'est-ce que je vais faire quand tu seras plus là?

– Tu pourras toujours demander à Laura Paradis juste en arrière de toi. C'est une bonne personne.

– Oui, mais elle a déjà trois machines à surveiller. J'oserai pas la déranger.

– T'en fais pas. J'ai idée que tu n'auras pas à la déranger souvent. En attendant, parle-lui et demande-lui quels sont les problèmes qu'on peut rencontrer parfois. Écoute bien sa réponse, comme ça t'auras une idée quoi faire si ça t'arrive. Si le pire vient au pire, tu peux toujours demander à M. Hanmer. Dans le fond, pour un contremaître, c'est pas un mauvais gars.

Au dernier jour de mars, Carmelle a quitté définitivement le travail. M. Hanmer a consenti à me nommer responsable d'un des métiers. Le second serait confié à une autre fileuse. Comme je me préparais à quitter l'usine le mercredi premier avril, M. Hanmer m'a annoncé que si mon travail s'avérait satisfaisant, mon salaire monterait à un dollar par jour.

Il me semblait que ce ne serait pas possible de gagner une somme pareille. Calculé rapidement, ça me donnerait environ vingt-quatre dollars pour le mois d'avril. Une fois ma pension de huit dollars payée, il me resterait seize dollars! Si j'ajoutais à cela le petit pécule que j'avais déjà amassé à la caisse d'épargne, tout me paraissait possible. Subitement, je me suis sentie jeune et heureuse et j'ai eu envie de m'acheter une jolie robe et le chapeau assorti. D'autant plus que je pourrais les porter lorsqu'on irait en vacances à Saint-Protais en juillet.

J'en ai parlé à ma tante Oblore. Elle m'a conseillé d'aller voir Madame Toussaint Baroux qui, m'a-t-elle dit, était une excellente couturière, tellement bonne que les épouses des dirigeants du moulin s'adressaient souvent à elle pour la confection de robes semblables à celles qu'on voyait dans les journaux de New York. Malgré cela, a-t-elle ajouté, elle ne me chargerait pas trop cher :

– La pauvre femme a perdu son mari il y a deux ans et elle est restée avec trois enfants à élever. Mais elle est courageuse. En plus de sa couture, elle fait des lavages et des repassages pour les autres. Alors, quand on peut l'aider, ça fait plaisir.

Aussitôt après souper, je me suis rendue chez Madame Baroux. J'ai eu le plaisir de découvrir une jeune femme dans la vingtaine, aux traits réguliers et aux cheveux noirs sagement enroulés en chignon sur la nuque. Quand j'ai fini d'expliquer ce que je voulais, c'est-à-dire une robe chic que je pourrais mettre durant mon séjour au Canada au mois de juillet, Élisa Baroux s'est exclamée qu'elle avait justement ce qu'il me fallait. La femme de l'un des propriétaires du moulin était venue se confectionner une robe et elle avait apporté un de ces nouveaux patrons que vendaient les époux Butterick. Avant de le lui remettre, j'en ai fait une copie, a ajouté Élisa Baroux.

– Je suis sûre que cette robe vous ira mieux qu'à Madame Ames. Elle est dans la quarantaine avancée et plutôt forte de taille. Mais il ne faut pas le lui dire. D'ailleurs, comme vous voulez la porter durant les vacances, il n'y a pas grand chance que ça lui vienne aux oreilles.

Nous avons convenu d'aller ensemble, le samedi suivant, choisir le tissu pour la robe et le mantelet assorti.

Au retour de mon expédition, je débordais d'enthousiasme en montrant à ma tante le beau tissu que nous avions trouvé, blanc avec des rayures bleues, et une autre pièce du même bleu pour le mantelet et la garniture.

Comme je m'occupais avec ma tante à mettre la table pour le souper, Félix est entré, lui aussi débordant de bonne humeur:

– Vous savez pas ce qui m'arrive, son père.

– Pas des mauvaises nouvelles, toujours, grogna l'oncle Denis.

– Non, non. Vous allez être fier de moi. J'ai été choisi pour jouer au baseball avec l'équipe de la Dwight. Hein, qu'est-ce que vous dites de ça, son père?

– C'est des bonnes nouvelles, pour sûr. Mais c'est pas un peu tard dans la saison pour commencer à t'entraîner?

– C'est pour qu'on se prépare pour le printemps prochain, mais on va quand même jouer quelques parties. Quand on commencera, vous viendrez, les filles. Ça va être au Hampton Park, à Springfield. Et la première équipe qu'on va rencontrer, ça va être celle de Holyoke. Vous pourrez venir me voir pratiquer, son père.

– Pour sûr, mon garçon. Je manquerai pas ça.

Au début du mois de mai, j'ai reçu une lettre de mon amie et voisine, Cécile Delage.. Elle m'apprenait que sa mère était décédée en mettant une enfant au monde, une petite fille. Sa tante Françoise, la sœur aînée de sa mère qui habitait Sherbrooke et qui n'avait jamais eu d'enfant, était venue la chercher. Cécile restait donc seule avec son père et ses trois petits frères. Pauvre Cécile, déjà maîtresse de maison à dix-sept ans! Je lui ai aussitôt écrit pour lui dire que dans à peine deux mois elles se reverraient, puisque mon oncle et ma tante se rendaient , comme d'habitude, à Saint-Protais pour la mi-juillet.. D'autant plus que Mémère Pouliot se faisait vieille, d'après ce que disait maman dans sa lettre.

Maintenant que ce voyage approchait, je sentais croître mon impatience. Je m'étais trouvé un joli chapeau au magasin Bernier et Éliza Baroux avait modifié le ruban en lui ajoutant un drapé avec des retailles de bleu. Quand j'ai reçu mon enveloppe de paie de mai et que j'y ai trouvé vingt-six dollars, je n'ai plus résisté à la tentation de m'acheter des bottines blanches pour aller avec ma nouvelle toilette, au lieu des vieilles bottines noires que je portais chaque jour pour aller travailler. Ce soir-là, j'ai revêtu mon ensemble pour épater ma cousine Annette.

– Ah, c'que t'es belle! T'as l'air de ces femmes qu'on voit sur les affiches.

J'ai regretté qu'il n'y ait pas dans notre chambre de miroir dans lequel j'aurais pu juger par moi-même de l'effet que ma toilette produisait. J'avais hâte de voir la réaction de Victor. Pourvu qu'il fasse beau le premier dimanche des vacances afin que je puisse étrenner ma nouvelle toilette à la grand-messe! Là, Victor m'appellerait « Marie-Jolie » pour vrai.

J'ai ouvert le tiroir de mon bureau et sorti la dernière lettre de Victor afin de la relire :

Chère Marie-Jolie,

Je prends la plume pour te dire qu'ici ça ne va pas vraiment. Mon père est pas bien du tout. Il travaille quelques heures puis il est obligé d'aller se reposer, alors ça me donne beaucoup d'ouvrage. C'est moi maintenant qui est obligé d'aller à Sherbrooke et parfois à Montréal pour acheter le stock pour le magasin. Pourtant papa n'est pas vieux. Il vient d'avoir cinquante-huit ans. J'espère que quand tu viendras au mois de juillet, ça sera pour rester. Papa me dit que quand j'aurai vingt ans, je pourrai me marier.

Tu le sais, Marie-Jolie, qu'y a rien qu'une femme que je veux marier, c'est toi. Alors j'espère que tu vas rester après le mois de juillet et aussitôt que j'aurai vingt ans au mois d'avril nous pourrons nous marier. Si tu m'écrivais que c'est oui que je serais donc heureux.

Victor Marcellan.

Pauvre Victor! C'était un garçon bien attachant, mais de là à revenir au Canada pour attendre ses vingt ans... Juste au moment où je faisais un si bon salaire...

IV

À l'approche des vacances à Saint-Protais, je ne tenais plus en place. Ma tante Oblore avait décidé qu'Annette nous accompagnerait afin de lui permettre de connaître sa grand-mère tandis qu'il était encore temps.

Le temps passait et juillet est enfin arrivé. Il faisait une chaleur écrasante dans l'atelier et la mousse de coton qui flottait dans l'air et desséchait la gorge et la bouche, paraissait plus abondante que jamais. Je n'avais qu'à fermer les yeux pour sentir la belle brise fraîche qui descendait de la montagne sur Saint-Protais. L'oncle Denis avait décidé qu'on travaillerait jusqu'à trois heures, le samedi 13 juillet, et qu'on prendrait le train le dimanche pour arriver à Saint-Protais le lundi 15 juillet. J'aurais donc toute la semaine à attendre avant d'aller à la grand-messe avec ma belle robe neuve, mon chapeau et mes bottines blanches.

Quand je me suis rendue au bureau pour avoir ma paie le samedi après-midi, je n'ai trouvé dans l'enveloppe que onze dollars. J'ai cru d'abord que mon salaire avait été diminué. Mais non, en comptant bien, je me suis aperçue qu'ayant eu congé le 4 juillet, jour de la fête nationale des États-Unis, je n'avais travaillé que onze jours entre le premier et le treize. Mais comme nous serions de retour à temps pour commencer le travail le 1er août, alors j'aurais mon plein salaire ce mois-là, ce qui ferait, en comptant bien sur le calendrier, vingt-sept dollars!

Le dimanche après-midi, escortés de toute la famille, nous avons pris le tramway pour aller à la gare de Springfield. Comme une ligne de chemin de fer montait maintenant directement au Vermont, on n'avait plus besoin de passer par Boston. Nous changerions de train à White River Junction et le lendemain après-midi nous arriverions à Ormston, où papa nous attendrait.

Annette était tout émue. C'était son premier voyage en train. Je lui ai dit de me suivre et je l'ai installée sur la banquette, devant l'oncle et la tante. Elle était si énervée qu'elle me tenait la main. Puis le train s'ébranla. Encore une fois j'ai eu l'impression de survoler le paysage comme un oiseau, forêts, rivières et fermes fuyant à une vitesse étourdissante derrière la vitre.

Oncle Denis consultait sa montre de temps à autre, une belle Waltham en or, qu'à titre d'aîné de la famille, il avait héritée de son père. « Il est déjà presque six heures, Oblore, a-t-il dit, ça serait ben le temps que tu sortes ton lunch. »

Tante Oblore a ouvert son panier et nous a distribué ses vivres, puis elle a exhorté les jeunes filles à dormir un peu, car il faudrait descendre à White River en pleine nuit, vers onze heures et demie, pour attendre le train qui nous conduirait à destination. À White River Junction, l'attente n'a pas été trop longue : trente minutes tout au plus. Lorsque je me suis réveillée, le jour commençait à poindre. L'oncle Denis dormait, la bouche ouverte, ronflant, ce qui ne semblait pas déranger Tante Oblore, blottie contre l'épaule de son mari. Annette avait glissé jusqu'à avoir la tête sur mes genoux. Si je n'avais eu peur de la réveiller, j'aurais lissé ses cheveux foncés et brillants comme ceux de ma sœur Jeanne. En voilà une qui devait avoir grandi durant mon absence. Elle devait ressembler à Annette. Excepté qu'Annette, elle, n'était pas infirme, me suis-je dit avec un serrement de cœur.

Le paysage devenait de plus en plus familier à mesure qu'on avançait. Lorsque le train est entré en gare d'Ormston, j'ai aperçu mon père, avec son vieux chapeau de paille, qui scrutait avidement les wagons.

– Regardez, mon oncle. Papa est là!

– Eh oui, ce bon Damase, toujours fidèle.

J'ai été la première à descendre du train, pour courir me jeter dans les bras de mon père, qui m'a embrassée puis m'a fait reculer un peu pour m'examiner:

– T'as encore grandi, Marie-Julie, et t'as bonne mine. Ce doit être la bonne cuisine que tu lui sers, Oblore, a-t-il ajouté en embrassant sa belle-sœur et sa nièce. Puis il a serré la main de Denis.

Bientôt, les bagages chargés dans la voiture, on s'est mis en route vers la ferme. Là, ma mère et les enfants qui, de toute évidence, avaient guetté notre arrivée, attendaient sur la galerie. Je voyais, comme sur une photo, le petit groupe, avec, un peu en retrait, le doux visage de Jeanne. Encore maintenant, en y pensant, je ne peux m'empêcher de frissonner. Pourquoi certains êtres semblent-ils marqués par le malheur? C'est tellement injuste...

La porte de la chambre s'est ouverte sous la poussée énergique de Sœur Supérieure :

– C'est l'heure des Vêpres, Madame Marcellan. Réveillez-vous, Mademoiselle Malenfant.

En cinq minutes, Sœur Supérieure avait organisé son monde et l'on se dirigeait vers la chapelle, moi dans mon fauteuil roulant, Mademoiselle Malenfant trottinant à la remorque.

Une fois installée à ma place dans le chœur, j'ai fermé les yeux pour retourner à cette scène d'autrefois.

Le jour de notre arrivée, pendant qu'Oncle Denis, Tante Oblore et Annette étaient montés au deuxième pour saluer Grand-mère Pouliot, maman m'avait dit :

– Ton amie Cécile est venue hier pour demander à quelle heure tu arriverais. Elle m'a dit qu'elle a absolument besoin de te voir au plus tôt, qu'elle a quelque chose à te proposer. Elle n'a pas voulu me dire quoi. Seulement, elle a ajouté que tu viennes le matin, alors que son père est parti aux champs. Je me demande ce qu'elle a de si grave à te dire.

– Moi aussi j'ai hâte de la voir. J'irai demain.

– Tu pourras emmener ta cousine Annette avec toi pour lui faire connaître les environs.

– Puisqu'elle semble avoir quelque gros secret à me confier, vaut mieux que j'aille seule. Annette pourra rester avec Jeanne.

Le lendemain, tout de suite après déjeuner, je suis sortie et je me suis dirigée vers la maison de ferme de l'autre côté de la route. Comme j'approchais, Prince, le vieux chien, s'est mis à aboyer. Cécile est aussitôt sortie sur le pas de la porte. Elle m'a embrassée avec une ferveur particulière qui m'a un peu surprise. Le bras autour de ma taille, elle m'a entraînée dans la maison.

– T'as maigri, Cécile. Ça te donne beaucoup de travail, la maison, tes trois petits frères.

– Eh oui, ça tient occupé. Mais parle-moi de toi. Comment t'aimes ça, vivre aux États-Unis?

– Pas mal. Le travail au moulin de la Wright, ça prend un peu de temps à s'y habituer. Mais quand arrive le jour de la paie, on oublie ses fatigues.

Nous avons commencé à parler des conditions là-bas, puis, n'y tenant plus, je lui ai demandé :

– Qu'est-ce que c'est ton gros secret? J'ai fait exprès de ne pas emmener ma cousine Annette, parce que maman m'a dit que t'avais à me parler et que tu voulais que je vienne pendant que ton père ne serait pas là. C'est bien ça?

Cécile a rougi :

– Oui, en effet.

– Alors?

Elle a hésité, puis elle a dit:

– Je veux que tu m'emmènes avec toi aux États quand tu repartiras. Il faut que tu m'emmènes aux États avec toi, a-t-elle repris avec plus de force.

– Quoi! Qu'est-ce que ton père va dire? Tu veux le laisser seul avec les petits garçons?

– Oh, il va s'arranger. Il commence déjà à chercher quelqu'un pour se remarier. Il fréquente une veuve à Saint-Blaise.

– Alors, tu serais pas mieux d'attendre qu'il soit remarié?

– J'peux pas.

– Pourquoi?

De nouveau Cécile a rougi :

– Y faut que j'm'en aille au plus tôt. Quand est-ce que vous repartez?

– Le mardi 30 juillet. Il faut qu'on recommence à travailler le jeudi 1er août.

– Deux semaines, c'est long.

– Pas pour moi, lui ai-je dit en riant. Qu'est-ce qui te presse tant de partir d'ici? Et puis, qu'est-ce que ton père va dire? Lui en as-tu parlé?

À ma grande surprise, Cécile a éclaté en sanglots.

Je me suis levée et j'ai mis un bras autour des épaules de mon amie. En même temps, j'ai vu son père, Athanase Delage, qui arrivait devant la grange avec ses chevaux.

– Voilà ton père qui arrive.

– Quoi ! Déjà! Faut pas qu'il me voie comme ça.

Cécile s'est tournée vivement vers l'évier. Saisissant une tasse, elle l'a remplie d'eau au seau, s'en est versé dans les mains et s'est frotté vigoureusement le visage puis s'est épongé avec la serviette qui pendait au rouleau.

Le père est entré et je l'ai salué.

– Mes condoléances, Monsieur Delage. Cécile m'a raconté la mort de sa mère. C'est vraiment triste, une femme encore jeune qui part comme ça et qui laisse de jeunes enfants.

– Eh oui, c'est une grande épreuve. Heureusement que j'ai Cécile. S'il avait fallu que j'aie juste des garçons, j'sais pas ce que j'aurais fait. Mais Cécile et moi, on s'arrange bien, n'est-ce pas? ajouta-t-il en regardant les yeux rougis de Cécile de ses petits yeux soupçonneux.

– Oui, papa, se contenta de dire Cécile d'un ton soumis.

– Bon, alors, moi, il faut que je retourne chez nous. Ma cousine Annette est venue avec ses parents et j'peux pas la laisser seule trop longtemps.

Je suis sortie sur la galerie et Cécile m'a suivie :

– Tu reviendras quand t'auras une chance, m'a-t-elle dit à haute voix. Tout bas elle a ajouté :

– Viens demain matin, il faut qu'il aille au village.

Le lendemain matin, j'ai guetté par la fenêtre jusqu'à ce que je voie le père Delage atteler un cheval au buggy et prendre la route du village. J'ai fini mon thé d'un trait et j'ai dit à maman que je m'en allais chez Cécile pour une minute.

En arrivant, je l'ai trouvée dans la cuisine, où le plus jeune de ses frères, François, achevait de déjeuner. Cécile lui a enlevé son assiette.

– Finis ton lait et va jouer dehors, a-t-elle dit au bambin.

Une fois qu'il a été sorti, je me suis tournée vers Cécile:

– Vas-tu enfin me dire pourquoi t'es si pressée de partir? Depuis hier que je me demande ce qui se passe.

Une fois de plus, Cécile a rougi jusqu'à la racine de ses beaux cheveux blonds:

– C'est... que c'est très difficile...

– Qu'est-ce qui peut être si difficile? Depuis qu'on sait parler qu'on se raconte tout.

Cécile s'est penchée vers moi et m'a chuchoté quelque chose à l'oreille. D'abord, j'ai cru que j'avais mal compris.

– Quoi! n'ai-je pu m'empêcher de m'exclamer. Est-ce que j'ai bien compris?

Cécile a de nouveau éclaté en sanglots et a fait signe que oui.

– Mais quand est-ce qu'il fait ça?

– Quand les petits sont endormis, il vient me chercher pour que j'aille coucher dans son lit, et là...

– Mon Dieu! en as-tu parlé à Monsieur le Curé?

– Oui, à confesse. Il m'a déclaré que je devais obéissance et respect à mon père, que c'était encore mieux que s'il allait voir des femmes en dehors de la maison et causait du scandale. Il m'a dit aussi que pourvu que j'y prenne pas de plaisir, y avait pas de péché. Alors, tu vois pourquoi j'peux plus rester ici.

– Pauvre toi, j'te comprends. Mais comment on va faire? As-tu pensé que ni mon père ni mon oncle Denis voudront t'emmener à moins que t'aies la permission de ton père?

– Alors, j'vais partir à pied, n'importe où, mais j'peux pas rester ici. Ou bien, j'vais m'tuer. Comme la fille engagère des Julien il y a deux ans. J'vais aller me jeter dans la rivière.

– Attends. Avant de faire des folies, on va réfléchir à ça calmement et on va faire des plans. Mais, une fois aux États, où est-ce que tu vas aller?

– J'ai une tante, une sœur de maman, ma tante Marguerite, qui vit à Springfield. Je pense que c'est pas loin d'où tu restes.

– En effet. C'est là qu'on prend le train. Attends. J'ai une idée. Faut, d'abord, te conduire à Devonshire. Tu prendras le train là. Nous, nous allons monter à Ormston, et quand on aura passé les lignes des États, je viendrai te voir dans le train. Là tu vas être rendue assez loin que personne ne pourra te renvoyer.

– Oh, oui! s'écria Cécile, tout illuminée d'espoir. Mais comment j'vais aller à Devonshire? C'est pas souvent qu'il y a du monde qui va là.

– Laisse-moi faire. Dimanche j'vois Victor. Tu sais, Victor Marcellan. Il m'a écrit toute l'année. Lui connaîtrait peut-être quelqu'un.

– Si ça s'arrange pas, j'te dis que j'me tue.

– Voyons, veux-tu bien arrêter de te décourager avant même qu'on ait commencé. Laisse-moi ça. J'ai plus d'un tour dans mon sac, tu vas voir.

Toute la soirée je me suis cassé la tête pour trouver comment Cécile pourrait prendre le train pour le Devonshire. Ça tomberait un mardi. Enfin, d'ici-là, j'aurais rencontré Victor, et lui me verrait avec ma belle robe et mon chapeau neufs. Et mes belles bottines blanches.

J'avais tellement peur qu'il pleuve le dimanche que samedi soir je suis sortie et j'ai accroché mon chapelet à la corde à linge, comme on fait à la veille d'un mariage.

Dimanche matin, le soleil s'est levé dans un ciel sans nuage. Je me suis habillée, pendant que Jeanne me regardait, bouche bée. Je m'étais fait une coiffure relevée et mon nouveau chapeau, légèrement de côté et penché en avant, avait l'air d'un bateau qui naviguait sur les vagues de mes cheveux.

– Ah, que t'es belle!

– Toi aussi, t'es belle, Jeanne.

– Oh, moi, tu sais... j'en vaux guère la peine.

J'aurais dû protester, lui dire qu'elle était belle et fine, mais j'étais tellement occupée de moi-même que je n'en ai rien fait. Si souvent dans ma vie il s'est présenté des occasions que j'ai laissé passer. Je m'en suis aperçue plus tard, quand je n'y pouvais plus rien.

C'était au tour d'Alyre de rester avec Mémère Pouliot. Il avait maintenant presque quatre ans et n'aimait pas trop être à la maison quand tout le monde partait pour le village, mais comme il était turbulent, Maman aimait mieux le laisser à grand-mère. Quand nous sommes arrivés à l'église, un rapide coup d'œil m' a appris que Victor n'était pas parmi les gens qui jasaient sur le perron. Je suis entrée dans l'église avec Maman et Jeanne. Le banc des Marcellan se trouvait vis-à-vis du nôtre, dans une allée latérale. Juste avant que la messe commence, j'ai vu Victor qui s'avançait dans l'allée avec sa mère pour prendre place dans leur banc. En avant de nous, Madame L'Heureux et son mari entraient avec deux de leurs enfants. L'état de cette pauvre femme m'a surprise. Elle avait perdu tellement de poids qu'elle en était méconnaissable et son pauvre ventre pendait sous son manteau, maintenant trop ample pour elle, comme un sac vide. Encore une autre, me suis-je dit, qui ne fera pas de vieux os.

C'était le vicaire qui prêchait ce jour-là et il semblait que sa diction affectée coulait comme un flot sans fin. Finalement on en est venu à l'*Ite Missa est* et les gens ont commencé à sortir. Lorsque je suis arrivée sur le perron, j'ai tout de suite aperçu la haute stature de Victor au milieu d'un groupe d'hommes. Il avait dû me guetter car à ce moment précis il s'est tourné et nos yeux se sont rencontrés. Il a souri, et j'ai répondu à son sourire et j'ai eu l'intense satisfaction de le voir quitter ses compagnons et se diriger vers moi.

– Marie-Jolie! Enfin, te voilà de retour.

Je me suis contentée de lui sourire et de guetter dans ses yeux l'admiration qui se faisait jour pendant qu'il me regardait de la tête aux pieds :

– Comme t'es belle, Marie-Jolie! J'avais un peu oublié comme t'étais belle. Il y a tellement longtemps, tout un an que j't'ai pas vue.

– Je suis contente de te revoir, Victor. J'ai justement quelque chose à te demander.

– Et moi donc! J'peux pas attendre jusqu'à ce soir pour te parler. Écoute, va avertir ta mère que je te ramène chez toi et viens avec moi au magasin. Le temps d'atteler la Grise au buggy et nous partons.

Aussitôt dit, aussitôt fait. Il est entré dans l'établissement où déjà son père et sa mère s'affairaient derrière le comptoir. Son père lui a souri, mais sa mère avait l'air de le sermonner. Au bout d'un moment, il est ressorti.

– Ta mère avait pas l'air contente, lui ai-je dit.

– Elle trouvait que je ne devrais pas laisser mon père travailler au magasin. Mais papa m'a dit qu'il s'est reposé cet avant-midi et qu'il se sent bien. Bon, j'attelle et je te rejoins.

Cinq minutes plus tard, il me faisait monter dans le buggy et s'installait près de moi. Puis, il a guidé la jument vers la route de la ferme :

– Alors, Marie-Jolie, qu'est-ce que t'avais de si grave à me demander? J'espère que c'est pour me dire que t'as décidé de ne pas retourner aux États et que t'es prête à me marier en avril prochain.

– Non, tu sais bien que je t'ai écrit qu'il fallait que j'y retourne pour au moins un an. Ce que je voudrais te demander, c'est d'aller conduire Cécile Delage à Devonshire prendre le train le jour de notre départ, le mardi 30 juillet, dans quinze jours.

– La fille d'Athanase? Pourquoi il va pas la conduire lui-même? C'est le jour où tu pars? Et pourquoi Devonshire?

– Bon, je vais t'expliquer pourquoi faut aller la conduire à Devonshire.

Je lui ai raconté en gros l'histoire de Cécile mais sans la vraie raison de sa détermination à quitter la maison de son père. Je ne pouvais me décider à révéler une chose pareille à Victor.

Mais lui s'étonna :

– J'peux pas croire qu'elle veut laisser son père tout seul avec les petits garçons. Ça a l'air qu'il fréquente une veuve et qu'il va se remarier. Qu'elle attende qu'il soit marié et après elle pourra partir. Ça serait plus raisonnable. D'autant plus que mon père ne sera pas content s'il apprend que c'est moi qui ai conduit Cécile à Devonshire. Il dit toujours qu'il faut se mêler de nos affaires et ne pas donner à nos clients des raisons de se fâcher contre nous.

La moutarde m'est montée au nez.

– Écoute, Victor, si tu savais que son père attend que les petits garçons soient endormis, puis qu'il vient chercher Cécile pour l'emmener dans son lit...

Je n'ai pu continuer et je me suis caché le visage dans les mains.

– J'aurais bien de la misère à croire ça, Marie-Jolie. Sais-tu que pas plus tard que deux mois passés, le garçon de Philias Fortin, Jean-Guy, le plus vieux, a voulu fréquenter Cécile et que son père l'a mis à la porte en lui criant que sa fille était trop jeune.

– Tu vois comment il la traite? Cécile a trois mois de plus que moi. Est-ce que mon père t'a dit que j'étais trop jeune quand t'es venu l'été passé? Tu vois bien que c'est un hypocrite. Si elle ne peut pas venir avec moi aux États, elle va aller se jeter dans la rivière. Est-ce que tu me crois, maintenant?

Comme nous étions en rase campagne, Victor a mis son bras autour de mes épaules :

– Voyons, fâche-toi pas, Marie-Jolie. Il va falloir voir ce qu'on peut faire.

– Alors, tu vas nous aider? Ah, Victor, j'savais bien que t'étais pas un gars ordinaire.

J'étais si contente que j'ai failli lui sauter au cou. Mais il a pris les devants et m'a plaqué sur la bouche un baiser beaucoup mieux donné que la première fois. Malheureusement, une autre voiture est apparue au sommet de la côte et il a fallu nous séparer. J'avais peur que ce soit mon père et ma mère; mais non, c'était le troisième voisin.

Le reste du chemin, et durant la soirée, nous avons discuté de la façon de mener à bien cette entreprise. Le problème n'était pas facile. Comment pourrait-elle sortir de la maison et aller rencontrer Victor quand il viendrait la chercher en voiture? J'ai pensé soudain que les framboises commençant à mûrir, Cécile pourrait prétexter aller cueillir ces fruits au bout de la terre. Et comme le chemin passait non loin de là, une fois rendue dans le champ, elle continuerait jusqu'au bord de la route où elle attendrait Victor.

– Est-ce qu'elle va partir pour aller aux framboises avec sa valise? demanda Victor.

– T'as raison. J'avais pas pensé à ça. Il faut trouver autre chose. Nous avons la semaine pour nous préparer. Oh! je sais. Elle n'a qu'à faire sa valise et me l'apporter à la maison. Nous dirons à tout le monde que ce sont des affaires de sa mère qu'elle envoie à sa tante Marguerite aux États et que j'ai promis de lui apporter.

– Et le billet de chemin de fer? On l'achètera à Devonshire?

– C'est vrai. C'est autre chose à quoi j'avais pas pensé. Comme tu peux l'imaginer, c'est pas son père qui va lui donner de l'argent. Elle n'a pas un sou. J'vais te donner les huit dollars pour un billet aller seulement, et Cécile me les remettra quand elle commencera à travailler.

– Là, j'pense qu'on a rien oublié. Pourvu qu'il fasse beau ce jour-là. Tu la vois annoncer à son père qu'elle s'en va aux framboises à la pluie battante?

– Oh, j'suis pas inquiète. J'vais mettre mon chapelet sur la corde à linge. J'suis toujours exaucée, lui ai-je confié en regardant le soleil radieux de ce jour-là, qui m'avait permis de porter ma robe neuve et mon joli chapeau.

Chaque fois que j'avais l'occasion de voir Cécile durant la semaine, nous répétions ce qu'elle aurait à faire pour prendre le train à Devonshire. Cependant, tout dépendait de la température et cela l'énervait. S'il fallait qu'il pleuve mardi prochain!

– J'sais qu'il va m'arriver quelque chose, se lamentait-elle.

Lundi, comme convenu, elle est venue chez moi avec une boîte de carton attachée par une ficelle. Elle n'avait pas de valise bien à elle. C'était la seule boîte de toute la maisonnée et elle se trouvait dans le garde-robe de la chambre de ses parents. Elle avait bien peur que son père n'en remarque l'absence.

Quand elle est arrivée, Maman et Tante Oblore se trouvaient dans la cuisine et nous avons échangé le dialogue que nous avions répété:

– Qu'est-ce que c'est ça?

– Je t'en ai déjà parlé : des choses de maman que j'envoie à ma tante Marguerite à Springfield. Tu m'as dit que tu pourrais les lui remettre.

– N'est-ce pas, Tante Oblore, qu'on peut se charger de cela? Voyez, Cécile a inscrit l'adresse sur le paquet : Dame Cyprien Lavigne, 45 Hickory Street, Springfield, Mass.

– Oui, bien sûr, ma chère. Hickory Street, c'est pas loin de la gare.

– Il paraît que ton père fréquente une veuve de Saint-Blaise? J'imagine qu'il va penser à se remarier. Ça va te soulager, ma pauvre enfant, lui dit maman.

– En effet, Madame Guertin, a répondu Cécile avec une ferveur de bon aloi. Seulement, avant que ça arrive, j'aimerais que ces souvenirs soient envoyés à ma tante Marguerite. Je pense pas que j'aimerais à voir les affaires de maman utilisées par une belle-mère.

– J'te comprends, ma chère. T'as pas à t'inquiéter. On va voir à ce que le paquet arrive à bonne adresse, a fait Tante Oblore, rassurante.

V

Ce soir-là je suis allée mettre mon chapalet sur la corde à linge avec une prière fervente pour que le Ciel exauce nos vœux, malgré les menaces d'un coucher de soleil rouge sang sur des nuages gris.

Lundi, le jour s'est levé uniformément gris, et j'ai pensé à la terreur de Cécile. J'essayais d'imaginer des solutions de rechange. Peut-être pourrait-elle venir avec nous à la gare et à la dernière minute monter dans le train sans que personne s'en aperçoive... Heureusement, au cours de l'avant-midi, le ciel s'est éclairci peu à peu. Après le repas du midi, d'après ce qu'elle m'a raconté plus tard, elle avait lancé à son père :

– J'vais passer dire au revoir à Julie, et après j'vais aller voir si les framboises sont mûres dans le clos du haut, près du ruisseau.

– J'm'en vais au village cet après-midi. Tu peux venir avec moi si tu veux être là pour la voir prendre le train.

Le soir précédent, quand il était venu la chercher, elle n'avait pas rouspété, le laissant faire passivement tout ce qu'il voulait, sans un mot. Intérieurement elle se disait que demain elle serait dans le train pour les États-Unis, ou au fond de la rivière.

De toute façon, c'était la dernière fois.

Cette passivité avait quelque peu inquiété Athanase et il cherchait une façon de lui faire plaisir.

– Non, merci papa. Marie-Julie m'attend et elle va être plus occupée quand va approcher l'heure du train.

– Tu mets ton manteau? demanda-t-il en la regardant se préparer.

– Oui, j'ai peur qu'il se mette à mouiller.

Cécile est sortie sans qu'il ose ajouter autre chose, et elle s'est dirigée calmement vers la maison des Guertin. Je l'attendais près de la porte et je l'ai entraînée dans ma chambre.

– Tu arrives plus tôt que prévu. Je suis en train de fermer ma valise. Annette est chez Mémère Pouliot.

– J'aimais mieux être là trop tôt que trop tard. Et si Victor arrivait et qu'il ne voyait personne, il pourrait croire que j'ai été empêchée ou que je ne viendrais pas, et repartir, m'a-t-elle déclaré avec une lueur d'angoisse dans ses beaux yeux clairs.

– Mais non, tu ne connais pas Victor. Il ne serait pas reparti comme cela. Enfin, tu seras bien en avance, et ne t'inquiète pas. Nous nous verrons dans le train, comme prévu. Tu vois, le pire est fait. Victor va t'attendre sur le bord de la route au bout de votre terre vers deux heures et demie. J'ai regardé l'horloge du salon avant de monter. Il était juste une heure et quart. Pas besoin de t'énerver. Il va te donner ton billet. Oublie pas. Tu restes à ta place jusqu'à ce que je vienne te chercher dans le train.

– Oh! J'm'en fais pas parce qu'à soir j'vais être dans le train pour les États avec vous autres, ou bien dans le fond de la rivière.

Je l'ai grondée d'être aussi pessimiste, l'assurant que demain nous serions à Springfield, et elle est partie.

Puis ç'a été le branle-bas du départ. Au moment où nous nous préparions à monter dans le train, j'ai aperçu le père de Cécile qui s'approchait de la gare et je n'ai pu que me féliciter de la savoir en sécurité. Malgré tout, j'avais hâte de vérifier si elle était bien à bord du train. Victor était si fiable qu'il ne pouvait être rien arrivé de fâcheux, n'est-ce pas? Elle n'était pas allée se jeter dans la rivière.

Aussi, au bout d'une bonne demi-heure que le train était en route et même si nous n'avions pas traversé la frontière, j'ai voulu m'assurer de la présence de Cécile.

Sous prétexte d'aller aux toilettes, je me suis dirigée vers le wagon voisin que j'ai parcouru sans trouver trace de Cécile.

Affolée, j'ai hâté le pas. Ce n'est qu'au deuxième wagon que je l'ai aperçue, toute blanche, tassée dans le coin d'une banquette.

Avec un soupir de soulagement, je me suis laissée tomber près d'elle.

– Alors, tout s'est bien passé? Tu es contente?

Elle a tourné vers moi ses beaux yeux bleus remplis de larmes.

– Ah, Marie-Julie, qu'est-ce que j'aurais fait sans toi et sans Victor? C'est lui, d'ailleurs qui m'a dit de ne pas rester dans le premier wagon, de peur d'être reconnue par les gens qui montaient.

Comme il me fallait retourner à ma place, je lui ai dit que justement il valait mieux qu'elle reste là et que je viendrais la chercher juste avant White River Junction, où nous devions descendre pour prendre un autre train qui nous conduirait à Springfield. Elle n'aurait donc pas à s'inquiéter.

– De toute façon, nous n'arriverons pas à White River Junction avant onze heures du soir. Il va faire noir. Alors, ne vas pas penser que je t'ai oubliée. Tu t'énerves pas. Tu promets?

Vers les six heures, Tante Oblore a puisé, comme d'habitude, dans son panier bien garni pour nous distribuer sandwiches et biscuits. Je parvins à cacher la moitié d'un sandwich dans ma poche et je suis allée le porter à Cécile.

Quand la nuit noire est arrivée, l'oncle Denis a tiré sa montre de son gousset.

– Dans une demi-heure, nous devrions être à White River Junction et demain matin, vers sept heures et demie, à Springfield. C'est bien plus rapide et commode depuis qu'on n'a plus à passer par Boston.

Je suis allée au trosième wagon chercher Cécile. Elle était toute nerveuse.

– Penses-tu que ton oncle et ta tante vont être très fâchés?

– Mais non, on va leur dire que ta tante Marguerite t'avait invitée à aller chez elle, et que t'as voulu profiter de l'occasion pour faire le voyage avec nous.

– T'es sûre qu'on a passé la frontière?

– Mais oui, mon oncle vient de le dire. Nous sommes au Vermont, et dans une demi-heure, nous serons à White River Junction.

Il y a eu des exclamations quand je suis revenue avec Cécile, mais on a semblé accepter qu'il était raisonnable qu'elle veuille faire le voyage en notre compagnie. Soudain, Tante Oblore lui a demandé :

– J'ai vu ton père à la gare. Est-ce qu'il savait que tu partais avec nous? Il n'en a rien dit.

– Non, il ne savait pas que je partais aujourd'hui. Mais je lui ai laissé une lettre sur la table de cuisine pour qu'il ne s'inquiète pas. Et puis, j'vais lui écrire en arrivant chez ma tante Marguerite.

– T'as ton billet jusqu'à Springfield?

– Oui, dit Cécile en le tirant de sa poche.

Ces deux affirmations, qu'elle avait bien son billet, et qu'elle irait chez sa tante, ont paru rassurer la tante Oblore. Si elle s'était trouvée dans l'obligation d'héberger Cécile, comme c'était la coutume, la famille se serait trouvée à l'étroit dans le « tenement ».

À la gare, nous avons trouvé non seulement Réal, mais aussi Félix, venus nous accueillir.

– Je suis contente que tu sois là, Félix, lui dit sa mère. Tu vas pouvoir aller reconduire Cécile chez sa tante. À cette heure, ils ne seront pas encore partis pour la messe. La rue Hickory, tu sais où c'est?

– Mais oui, maman, a dit Félix en s'emparant du paquet que je lui tendis en lui indiquant le nom et l'adresse de la tante Marguerite. Ayant dit au revoir et bonne chance à Cécile, nous les avons regardés s'éloigner. Puis, nous avons pris le tramway pour rentrer à la maison.

Nous étions à peine arrivés que déjà Félix revenait.

– Alors, t'as vu la fameuse tante Marguerite de Cécile?

– Mais oui. Les Lavigne ont un magasin au coin de Hickory et Eastern. Sa tante a paru ben contente de voir Cécile.

– Dieu merci, tout se termine bien. Ce qui n'était pas correct, c'était de ne pas le dire à son père, et de laisser ses petits frères tout seuls.

– Elle n'avait pas le choix, ma tante. Il ne l'aurait pas laissée partir. Là il va marier sa veuve de Saint-Blaise et Cécile va pouvoir se faire une vie ici.

VI

Annette et moi avions pris l'habitude d'accompagner Félix chaque dimanche qu'il jouait au baseball. Nous allions chercher Cécile chez sa tante. Quand nous approchions de la maison de la tante Marguerite, nous apercevions Fred Barney, un ami de Félix qui jouait dans le club de Springfield, venir de la rue voisine pour se joindre à notre groupe.

Déjà, Cécile m'avait raconté avec beaucoup d'enthousiasme que Fred était venu parler à son oncle, durant la semaine, pour lui demander la permission d'aller la présenter au Révérend Amaron, un citoyen suisse, pasteur de l'église baptiste. Elle l'avait trouvé bon et sympathique. Il l'avait assurée qu'elle aurait sa place en classe, dans le sous-sol de son église, dès que les cours de langue anglaise commenceraient en septembre. Fred, de même que son oncle et sa tante, l'aidaient à apprendre quelques mots de cette langue. Fred lui avait aussi apporté un manuel qu'il avait obtenu du Révérend Amaron et qu'elle avait commencé à étudier.

Tante Oblore trouvait que rien de bon ne pouvait résulter du fait qu'une jeune Canadienne fréquente l'église baptiste, même si c'était pour apprendre la langue anglaise.

– Et pourquoi tu crois que ce pasteur baptiste fait ça, si c'est pas pour attirer les jeunes catholiques à son église?

– Cécile me dit que son oncle est bien content, que les baptistes sont ses clients, et que plus tôt Cécile pourra l'aider au magasin parce qu'elle saura l'anglais, mieux ce sera.

– Eh bien, si son oncle avait ouvert son magasin au Petit Canada de Chicopee, la chose ne se serait pas présentée, dit Tante Oblore sentencieusement. Qu'avait-il besoin d'ouvrir son magasin parmi les protestants de Springfield?

– Apparemment qu'il fait de très bonnes affaires là.

Mais Tante Oblore a continué à maugréer à mi-voix.

Félix aussi trouvait que Fred prenait beaucoup de place dans la vie de Cécile. Il avait d'abord été attiré par les beaux cheveux blonds et les yeux si bleus de la jeune fille. Mais il ne pouvait guère rivaliser avec Fred qui, lui, habitait tout près et pouvait la voir souvent.

Quand les parties de baseball ont cessé en octobre, Cécile et Fred n'avaient déjà plus besoin de personne pour communiquer. Ils marchaient seuls en arrière, conversant à mi-voix, sans se préoccuper de qui que ce soit.

Pour ma part, je guettais le courrier, attendant les lettres de Victor. À chaque lettre, il semblait que son père allait plus mal; aussi, n'ai-je pas été surprise quand il m'a confirmé qu'il n'irait pas aux chantiers cet hiver, puisqu'il devait s'occuper du magasin.

À l'usine, j'étais maintenant responsable de deux métiers à filer, et je recevais un dollar dix par jour, ce qui, pour le mois d'octobre 1894 par exemple, me fit la jolie somme de vingt-neuf dollars soixante-dix. Une fois ma chambre et ma pension payées, il me restait presque vingt dollars à mettre dans mon compte à la caisse d'épargne. Cela me paraissait incroyable. J'aurais dû me rappeler le dicton de Mémère Pouliot, que ce qui était trop beau pour être vrai, c'était justement parce que ce n'était pas vrai.

Au début de décembre, nous avons été surpris d'apprendre que notre bon contremaître, M. Hanmer, allait être muté à la salle de tissage et qu'il serait remplacé par un Franco, M. Léon Robitaille. J'avais vu celui-ci à la messe avec sa femme et ses enfants. L'oncle Denis n'a pas paru très enchanté.

– On raconte qu'il boit, a-t-il dit à voix basse à tante Oblore.

– J'imagine qu'il doit être comme beaucoup d'hommes qui boivent en dehors de leurs heures de travail. Sans ça, on l'aurait pas nommé contremaître. Tu sais que c'est rare les Francos qui parviennent à être contremaîtres.

– En tout cas, j'suis content qu'Annette travaille pas dans c'département-là, a-t-il conclu.

J'avais été témoin de cette conversation, mais il ne m'est pas venu à l'idée de m'inquiéter. J'avais maintenant maîtrisé mes deux métiers à filer, et mon aide-fileuse, Flore Boisclair, une jeune fille qui était arrivée du Canada le printemps précédent, était très efficace.

Au premier jour de décembre, lorsque les métiers se sont tus pour la pause de l'avant-midi, M. Hanmer a pris la parole et nous a présenté notre nouveau surveillant. Il était de beaucoup moins grand que M. Hanmer, et son nez qui bourgeonnait, ses petits yeux porcins, cachés sous des sourcils broussailleux, ne me disaient rien qui vaille.

Il avait l'habitude – ce qui m'énervait et en énervait bien d'autres – de circuler entre les rangées de métiers à filer et de s'arrêter juste derrière une ouvrière, sans rien dire, se contentant de l'observer. Quand il s'arrêtait derrière moi, j'étais très consciente qu'il était là. Il m'énervait et bientôt je faisais des erreurs que je n'aurais pas commises autrement. Cela lui donnait l'occasion de me mettre une main sur la taille ou sur la hanche pour me dire :

– Vous avez fait une erreur là.

– Oui, Monsieur Robitaille, je sais, et je sais aussi comment la corriger. Excusez-moi, ai-je répondu, en repoussant sa main, mais j'y arriverai mieux toute seule.

– Et moi, mon travail c'est de voir à ce qu'il ne se produise pas d'erreur.

J'aurais bien eu envie de lui crier : «Alors, fichez-moi la paix, et ne restez pas ainsi à me regarder.» Mais je n'osais pas. Je me suis concentrée intensément, me disant qu'il était parti, et je suis parvenue à rattacher le fil qui s'était cassé, puis j'ai continué de filer comme si de rien n'était. Après un moment, il s'est décidé à partir.

Peu à peu cela est devenu une sorte d'obsession. Je passais mon temps à regarder pour voir s'il se dirigeait vers ma rangée de métiers. Je faisais bien attention pour ne jamais rencontrer son regard, ni faire quoi que ce soit pour attirer son attention. Un bout de temps, il me semblait que cela allait mieux.

À la fin de décembre, lorsque j'ai reçu mon enveloppe de paie, je m'attendais à avoir vingt-six dollars quarante. Puisque Noël tombait un dimanche, que nous avions travaillé la veille jusqu'à trois heures et le lendemain de Noël toute la journée, cela donnait vingt-quatre jours de travail. L'enveloppe ne contenait que vingt-et-un dollars soixante. J'ai dit au commis qui distribuait les enveloppes qu'il y avait une erreur, mais il m'a assuré que non, que c'était les ordres qu'il avait reçus.

Le lendemain du Jour de l'An, M. Robitaille s'est arrêté de nouveau derrière moi et m'a chuchoté à l'oreille :

– Ce soir, quand le travail prendra fin, vous viendrez à mon bureau. J'ai à vous parler.

Cela a suffi pour gâcher ma belle sérénité si difficilement gagnée.

Quand les machines se sont arrêtées à six heures, j'ai replacé des choses pour laisser les autres partir, puis je me suis dirigée vers le bureau de M. Robitaille et j'ai frappé doucement. Il devait m'attendre car il a ouvert la porte immédiatement; il m'a fait entrer et il a refermé derrière moi. Il se taisait. Alors, après un moment j'ai dit :

– Vous vouliez me voir, Monsieur Robitaille? Peut-être pouvez-vous m'expliquer pourquoi j'ai eu une moins bonne paye ce mois-ci.

– Oui, Mademoiselle Julie. Votre salaire a été diminué pour tenir compte de vos erreurs.

– Mais je les corrige, et je n'en fais pas plus que les autres. M. Hanmer semblait très satisfait de mon travail, lui.

– Maintenant c'est moi qui suis responsable, et il est grand temps que vous vous en rendiez compte. Lorsque je veux vérifier votre travail et que je vous parle, on croirait que je vous agace. Pourquoi?

– J'suis pas habituée à ce genre de surveillance; vous me rendez nerveuse et il arrive des erreurs que j'ferais pas autrement.

– Je veux seulement que le travail soit bien fait. Écoutez, il est temps que vous vous montriez un peu plus gentille.

Et il m'a pris les mains, essayant de m'attirer vers lui. Je me suis dégagée d'un geste rapide et j'ai reculé vers la porte.

– Vous voyez. On dirait que vous me trouvez désagréable. Pourquoi?

J'aurais eu le goût de crier que justement, je le trouvais non seulement désagréable mais repoussant. Je me suis cependant contentée de déclarer :

– J'ai un fiancé, M. Robitaille, à qui je suis fidèle. Vous-même avez une femme dévouée qui ne serait pas très contente d'apprendre les avances que vous faites aux ouvrières.

– Ma femme, elle dirait rien. Actuellement, elle est enceinte de son huitième enfant. C'est pas elle qui voudrait me faire du trouble.

J'en ai été estomaquée. J'ai marché d'un pas ferme vers la porte.

– Bonsoir, M. Robitaille.

– Un moment. J'ai autre chose à vous dire. La compagnie Wright n'a pas eu les contrats qu'elle espérait. Bientôt, il va falloir renvoyer des employés. Si vous voulez pas être parmi les premières à être renvoyées, vous avez intérêt à vous montrer plus gentille. Compris?

– Merci, j'ai compris. Bonsoir, M. Robitaille.

J'en ai parlé à d'autres ouvrières et on m'a appris que mon cas n'étais pas unique. Il y avait d'autres jeunes filles qui s'étaient trouvées en butte à ses avances et qui n'avaient pas osé les repousser. Il y en avait une, Thérèse Arbour, qui avait même accepté de le rencontrer le dimanche. Mais, comme ajoutait mon interlocutrice, elle est bien folle de le croire. Quand il en sera fatigué, ou si elle devient enceinte, il va faire comme les autres hommes, il va s'en débarrasser malgré ses belles promesses.

Le deuxième dimanche de janvier 1895, j'ai eu la joie de voir arriver Cécile.

– Comment es-tu venue?

– Par le tramway, bien sûr. Je connais assez la ville maintenant pour pouvoir trouver mon chemin.

Je l'ai fait asseoir dans le salon et elle s'est entretenue avec tout le monde. Après un moment, comme Tante Oblore était partie lui verser un verre du vin qui restait des Fêtes, elle m'a chuchoté à l'oreille :

– Est-ce qu'on pourrait aller dans ta chambre? J'ai quelque chose d'important à te confier à toi seule.

J'ai attendu qu'elle ait terminé son vin.

– Excusez-moi, ma tante, je voudrais faire lire à Cécile les lettres que j'ai reçues de Saint-Protais. Nous allons dans ma chambre.

– C'est ça, allez les filles.

Dès que nous avons été installées dans la chambre, je lui ai demandé ce qu'elle avait.

– Tu ne devines pas? Même si on ne va plus au baseball, je continue à voir Fred Barney. Nous nous sommes fiancés à Noël et nous allons nous marier au printemps.

– Comment? Il va se convertir catholique?

– Non. C'est moi qui vais me convertir baptiste.

– Quoi? J'aurais jamais pu envisager une chose pareille.

– ...

– Tu vas devenir baptiste? ai-je répété comme une idiote. Comment as-tu pu prendre une décision pareille?

– Je vais t'expliquer. D'abord, quand Fred m'a demandée en mariage, j'ai pensé que je devais lui avouer ce qui m'était arrivé avec mon père. J'ai terminé en concluant : «Maintenant, tu vois Fred, pourquoi je ne pourrai pas te marier.» Il ne s'est pas scandalisé. Il m'a demandé d'aller avec lui raconter tout ça au Révérend Amaron. C'est ce que nous avons fait. Le Pasteur Amaron ne s'est pas scandalisé non plus et, plus important encore, il ne m'a pas sermonnée comme le curé de Saint-Protais, qui m'avait ordonné respect et obéissance à mon père. Il m'a simplement assurée qu'il n'y avait pas de ma faute, puis il a demandé à Fred s'il était toujours prêt à me marier. Fred a répondu que oui, qu'il m'aimait, et que la preuve qu'il n'y avait pas eu faute, c'était que je m'étais sauvée de chez nous pour venir habiter chez ma tante.

– Alors, a tranché le Révérend Amaron, il n'y a pas à hésiter, ma chère Cécile. Si tu aimes Fred, il faut l'épouser.

Nous étions tellement heureux, tous les deux, que Fred m'a prise dans ses bras devant le pasteur et qu'il m'a embrassée. Cependant, quand nous sommes revenus chez mon oncle et que Fred lui a demandé ma main, ma tante a répondu que si nous étions pour nous marier à l'église catholique, il faudrait que Fred suive l'instruction et qu'il promette d'élever nos enfants dans la religion catholique. Cela m'a paru bien compliqué. Je me demandais pourquoi je devrais obliger à tant de choses cet homme merveilleux qui était prêt à m'épouser en dépit de tout... Si bien que je réplique à mon oncle et à ma tante que j'étais prête à l'épouser à l'église baptiste, si le Révérend Amaron le permettait, et j'ai vu, à la façon dont le visage de Fred s'est éclairé, que j'avais pris la bonne décision. Alors, nous allons nous marier au début d'avril. Cela donnera à Fred deux mois pour trouver un logement convenable et le meubler un peu. Il travaille à la Smith & Wesson, l'armurerie, et il a un salaire meilleur qu'à la Wright.

– Avez-vous fixé la date?

– Oui. Ça va être le samedi 6 avril. Comme c'est toi qui m'as sauvée, j'voudrais personne d'autre pour être ma fille d'honneur. Tu veux bien?

– Bien sûr. Mais je ne sais pas ce que Tante Oblore va dire quand elle va savoir que le mariage va avoir lieu dans une église protestante.

En fait, je n'avais pas de raison de m'inquiéter, car je serais de retour au Canada en avril, mais ça, je l'ignorais à ce moment-là.

La fin de mon séjour à Chicopee est venue assez rapidement. Bien que les derniers temps, je n'étais plus la proie des avances continuelles du sieur Robitaille, soudainement, vers la fin de janvier, il a recommençé ses séances derrière moi, quand j'étais occupée à mes deux métiers. J'avais beau faire semblant que l'autre métier avait besoin de mon attention pour m'éloigner de lui, il me suivait. Un jour, il me dit :

– Qu'est-ce qu'il avait, ce métier-là?

– J'ai pensé que le fil s'était cassé.

– Mais ce n'était pas le cas.

– Non.

– Celui-ci est cassé, par exemple, dit-il en attrapant le fil mince et en le cassant entre ses doigts.

La colère m'a envahie tout entière :

– Oui, et je sais pourquoi, ai-je répondu en arrêtant la machine. Est-ce aussi votre devoir de briser ce qui marche bien?

– C'est seulement pour voir si vous savez bien le réparer.

Sans répondre, j'ai pris les deux bouts du fil cassé. Comme je levais les bras pour renouer les deux bouts du fil, il m'a prise par la taille et a glissé ses mains jusqu'à mes seins. Sans réfléchir, je l'ai frappé le plus fort possible avec mon coude, et comme il n'était pas grand, mon coude l'a percuté sur le bord de la mâchoire.

Alors, ç'a été à son tour d'être en colère. D'un geste sec, il a fermé le mécanisme des deux métiers et m'a ordonné de le suivre dans son bureau.

– Je vous avais avertie, Mademoiselle Julie. Vous êtes renvoyée. Je vais vous donner un billet pour le bureau de la paie. Allez chercher l'argent qui vous revient et fichez-moi le camp.

– Avec plaisir, Monsieur Robitaille.

– Quand vous allez vous apercevoir comme c'est difficile de trouver un autre travail, vous allez être un peu plus polie, ma petite.

La semaine précédente, j'avais reçu une lettre de Victor qui m'apprenait la mort de son père. Dorénavant, c'est lui qui tiendrait le magasin, et sa mère lui suggérait de se marier, que cela lui donnerait plus d'autorité. Il avait beau être plus grand que la moyenne, il était encore bien jeune, puisqu'il n'avait pas tout à fait vingt ans.

Il écrivait : «J'ai dit à ma mère qu'il n'y avait qu'une jeune fille que je voulais épouser, et que c'était toi. Elle m'a répondu qu'elle était bien d'accord, que je n'avais qu'à te demander de revenir des États-Unis et qu'on pourrait se marier tout de suite. Alors, ne me dis pas non, je t'en prie. Tu veux bien être ma femme? J'attends ta réponse le plus tôt possible. Je vais aller en parler à ton père. Dis-moi quand je peux aller te rencontrer au train.»

Avec ce qui s'était passé à l'usine, il m'a semblé que c'était une coïncidence décidée par le Ciel. Oui, comme Cécile, je me marierais et j'aurais ma maison à moi. Avec l'argent de ma dernière paie, j'avais presque deux cents dollars dans mon compte à la caisse d'épargne. Même si je dépensais quelques dollars pour me faire confectionner une robe de mariée par Madame Baroux, et un chapeau, avec des bas blancs et des bottines blanches, il me resterait un bon montant de mes économies pour commencer ma vie de ménage.

Tante Oblore m'a conseillé de ne pas faire confectionner de toilette par Madame Baroux, précisant que Victor était en deuil et que, de toute façon, il ferait trop froid à Saint-Protais pour mettre une toilette blanche qu'on ne verrait pas sous le manteau d'hiver. Elle m'a aussi suggéré d'écrire à Victor pour lui demander quel jour il pourrait venir me chercher à Ormston, et d'attendre sa réponse pour être sûre de ne pas débarquer là, en plein hiver, sans moyen de me rendre à Saint-Protais.

Même si j'avais le goût de partir immédiatement, j'ai dû me rendre à son raisonnement.

J'ai donc écrit à Victor. J'ai été surprise de la rapidité avec laquelle sa réponse est arrivée. Il avait dû écrire sans perdre de temps et descendre à Ormston en traîneau pour s'assurer que sa lettre partirait par le prochain train.

« Ah, Marie-Jolie, écrivait-il, le moment que j'ai tant espéré approche. Je vais à la gare samedi 2 février, et si tu n'es pas là, j'y retournerai dimanche, et chaque jour, jusqu'à ce que tu arrives. Je t'embrasse bien fort, comme je vais le faire lorsqu'enfin tu seras dans mes bras. »

Mes bagages étaient prêts depuis plusieurs jours. J'ai pris le train, le vendredi 1er février, pour retourner définitivement au Canada. J'avais passé un peu moins de trois ans aux États-Unis.

VII

Dans le train, je n'avais pas à combattre le sommeil comme à mon premier voyage aux États-Unis. J'étais consciente que ma vie allait changer du tout au tout, mais je n'avais qu'à penser à Victor pour être rassurée. Il était si bon, si gentil.

Quand la noirceur a commençé à tomber, j'ai sorti le goûter que Tante Oblore m'avait préparé. Le premier arrêt a été White River Junction, et là j'ai pris le train qui me conduirait à Ormston. Et sur le quai de la gare, je verrais la haute silhouette de Victor qui m'attendrait! Cette perspective me causait un tel bonheur que je me suis endormie. Quand je me suis réveillée, une lueur grise se faisait jour derrière la fenêtre. Il y avait longtemps que je n'avais pas vu autant de neige.

Au chef du train qui passait, j'ai demandé dans combien de temps nous arriverions à Ormston. Il a tiré sa montre et m'a répondu qu'il restait tout au plus deux heures. Le coeur s'est mis à me battre. Comme il y avait plusieurs sièges vides, j'ai changé de côté du train pour voir Victor à l'arrivée. Il me semblait reconnaître les villages que nous traversions, lorsque le chef de train est revenu me dire : « La gare d'Ormston est la prochaine, Mademoiselle. Je reviendrai prendre votre valise. »

La porte de ma chambre s'est ouverte et la silhouette familière de Mère Saint-Édouard d'Alexandrie est apparue sur le seuil.

– La cloche du souper vient de sonner, Madame Marcellan. Je viendrai vous chercher avec le fauteuil roulant. Vous vous sentez bien, vous n'êtes pas trop émue? Ne vous pressez pas pour souper. Le paquebot n'a même pas accosté au quai. Si toutefois votre fils arrivait trop tard et décidait de remettre sa visite à demain matin, je viendrai vous avertir.

– Merci, ma mère.

Le souper terminé, j'ai refusé son offre de me conduire à la salle de récréation et j'ai demandé à retourner à ma chambre. Je voulais revivre ces événements d'autrefois, au début de mon mariage avec mon cher Victor.

Heureusement, Mlle Malenfant était allée à la récréation. J'ai pu m'asseoir dans mon fauteuil et retourner par la pensée dans le train qui me conduisait vers ma nouvelle vie de femme mariée.

Quand le train a ralenti pour s'arrêter à la gare, j'ai en effet vu Victor qui s'avançait, mais à ma surprise il était accompagné d'une jeune femme. J'ai suivi le chef du train qui portait ma valise. Il a ouvert la portière et a descendu les marches, puis, posant ma valise sur le quai, il m'a offert sa main pour descendre. Heureusement car j'étais si occupée à fixer Victor et son bon visage souriant que j'aurais sans doute trébuché et serais tombée.

Victor m'a prise par les épaules et m'a tournée vers la jeune femme qui l'accompagnait.

– Marie-Julie, je te présente ma sœur aînée, Éva, qui est venue de Sainte-Anastasie quand elle a appris la mort de notre père. Et quand elle a su que tu venais des États-Unis et que nous allions nous marier, elle a décidé de rester pour assister à la cérémonie. J'étais bien content.

– Je suis heureuse de vous connaître. Victor m'a parlé de vous. Vous avez des enfants, n'est-ce pas?

– J'en ai cinq, mais c'est ma belle-mère qui les garde. Elle vit avec nous depuis la mort du père de mon mari.

Pour la première fois, je me suis rendu compte que, contrairement à Cécile, je n'aurais pas mon logement à moi, et que je devrais vivre avec ma belle-mère. Je n'ai pas eu le temps de m'attarder à cette idée, car Victor nous a emmenées toutes les deux vers le traîneau.

– Nous n'avons pas de temps à perdre. J'ai dit à Monsieur le Curé qu'en arrivant nous irions au presbytère afin que les bans soient publiés pour la première fois demain et que nous pourrions donc nous marier le mercredi treize février.

Il m'a fait asseoir entre lui et sa sœur, et m'a donné un grand châle de laine pour m'envelopper la tête et les épaules :

– C'est maman qui t'envoie ça, parce que, comme tu vois, il fait très froid aujourd'hui.

Je m'imaginais bien que sa mère avait sorti ce châle d'un coffre, car il sentait la boule à mites à plein nez. Mais Victor le serra autour de mon visage et nous sommes partis en trottant vers Saint-Protais. Là, il est allé déposer sa sœur chez lui, puis a pris le chemin du presbytère. La ménagère du curé nous a ouvert et nous a fait passer dans le bureau où le curé nous attendait.

– Alors, Victor, tu es bien décidé à te marier?

– Oui, Monsieur le Curé.

– Et toi, Marie-Julie, tu es bien d'accord?

– Oui, Monsieur le Curé.

– Ça fait combien de temps que tu vis aux États-Unis?

– Deux ans et demi, Monsieur le Curé.

– Hum, j'espère que tu ne t'es pas laissée corrompre par les mœurs là-bas. J'ai entendu dire que certains

Canadiens français faisaient comme les Anglais, qu'ils avaient seulement deux ou trois enfants. Tu n'as pas l'intention de faire ça, j'espère?

– Non, Monsieur le Curé.

– C'est bien, c'est très bien. Quand on contracte un mariage catholique, il faut être prêt à en observer les règles. Et puis, même si vous êtes promis l'un à l'autre, vous n'êtes pas encore mariés. Alors, il en tient à toi, Victor, de respecter ta future femme. Tu le promets?

– Oui, Monsieur le Curé.

– Quand à toi, Marie-Julie, pour que tu te rendes bien compte de ce que c'est qu'un mariage catholique, je voudrais que tu te mettes à genoux et que, la main sur le saint Évangile, tu répètes après moi : je jure d'observer les lois qui régissent les mariages catholiques, surtout en ce qui touche le devoir et la nécessité de ne pas empêcher la famille.

Une fois cette promesse prononcée, il nous a fait encore un sermon sur la pudeur qui doit caractériser l'épouse chrétienne, et nous sommes partis, cette fois-ci pour aller chez mes parents. J'ai craint un moment que Victor n'aille de nouveau chercher sa sœur Éva pour nous servir de chaperon; mais non, c'était apparemment une distance si courte qu'on pouvait s'en passer. J'espérais que Victor en profiterait pour me donner le baiser que je n'avais pas reçu à mon arrivée, et je ne fus pas déçue. Une fois passé le village, alors qu'il n'y avait plus de maisons – surtout que nous n'étions plus en vue de celle des Villeneuve, la commère qui ne se faisait pas faute d'inscrire sur son calendrier la date de tous les mariages de la paroisse pour vérifier si le premier enfant n'arrivait pas un peu trop tôt – Victor m'a entouré les épaules de son bras et m'a attirée à lui. Je me suis laissée aller sur son épaule et j'ai tourné mon visage vers le sien. J'ai senti ses lèvres s'emparer des miennes dans un baiser chaud et prolongé. J'aurais voulu qu'il dure même plus longtemps, mais déjà un autre traîneau était en vue. Nous nous sommes redressés tous les deux et Victor m'a dit :

– Comment j'vais faire pour attendre treize jours pour t'avoir toute à moi, Marie-Jolie? Quand tu étais au loin et que le mariage me paraissait pour un temps indéfini, il était plus facile d'attendre. Mais maintenant, te rends-tu compte que mercredi, dans une huitaine, nous serons mariés?

– Oui, et j'ai bien hâte!

– Pas plus que moi, mon amour, mon cœur.

Le temps passait si vite en sa compagnie qu'en un tour de main nous sommes arrivés devant la maison de mon père, qui nous a ouvert la porte. Maman, Jeanne et mes petits frères étaient groupés derrière lui.

– On vient de chez M. le Curé, dit Victor, alors c'est une bonne chose de faite. Il va publier les bans pour la première fois à la messe de demain, et pour la deuxième fois, dimanche prochain. Et on va se marier le mercredi 13 de février.

– Bon, ben, j'suis ben content, mon garçon.

– Pas plus que moi, Monsieur Guertin.

– Sois pas trop pressé, mon garçon. Ça dure longtemps, tu sais, le mariage.

Maman m'a embrassée avec cœur, puis ç'a été ma sœur Jeanne et les petits garçons. Ensuite, il a fallu monter saluer Mémère Pouliot.

– Viens avec moi, Victor. Elle va devenir ta grand-mère aussi, à partir du 13.

La main dans la main nous sommes montés à la chambre de la grand-mère.

La semaine a été bien remplie. Maman a vérifié mon coffre à trousseau, et j'ai commençé à penser à ce que je porterais pour le mariage. Le choix était facile : je n'avais qu'une robe propre, celle que Mme Baroux m'avait confectionnée pour les vacances de l'été dernier, la robe blanche avec des rayures bleues. Ma sœur Jeanne, qui avait des doigts de fée, a proposé de coudre des roses blanches sur le drapé bleu qui entourait mon chapeau.

– Où est-ce que tu vas trouver ça, à Saint-Protais?

– Tu te souviens du beau chapeau blanc que tu m'as acheté l'été dernier? Il a un petit bouquet de roses pour le garnir.

– C'est vrai. Je ne me souvenais pas. Je ne pensais pas, alors que j'achetais ces choses, que cela servirait pour mon mariage. Tu es merveilleuse d'avoir pensé à ça.

Mon beau Victor venait veiller tous les soirs. Il m'a dit que sa sœur Éva nous invitait à aller chez elle pour notre voyage de noces, un petit voyage en train d'environ une heure.

Enfin, le mercredi 13 est arrivé. Le mariage devait avoir lieu à neuf heures du matin, et ensuite, papa viendrait nous conduire à Ormston prendre le train. J'avais enlevé mon chapeau blanc et mis mon manteau d'hiver brun et mon chapeau, une cloche en velours brun. La mère de Victor n'avait pas oublié le châle de laine que Victor a enroulé autour de mon cou et de ma tête et de nouveau j'ai fait le voyage dans un nuage de parfum de boule à mite. Heureusement, l'église était chauffée et j'ai pu enlever mon manteau d'hiver et mon chapeau et apparaître en toilette blanche et bleue.

Une fois la cérémonie achevée, Papa nous a conduits à Ormston pour le voyage vers Sainte-Anastasie.

Là, Alfred, le mari d'Éva, nous attendait et nous sommes partis vers sa ferme. Comme il était l'aîné, il avait hérité du domaine de son père ; il comprenait une vaste grange, des dépendances et une maison spacieuse. Éva a dit à son mari de porter nos bagages dans la grande chambre, et elle m'a présentée à une personne qui m'a paru très âgée, sa belle-mère. Les cinq petits, tout excités, couraient autour, excepté le bébé de six mois qui était dans son berceau.

– Jusqu'à ce que je parte pour les funérailles de papa, je le nourrissais au sein, m'a dit Éva. Ça empêche de partir en famille trop vite.

– Ah, oui? Je ne savais pas, lui ai-je dit.

– Tu vas apprendre. Tu vois, moi ça fait huit ans que je suis mariée et j'en ai déjà cinq. Si ce n'était pas que je les nourris longtemps, j'en aurais deux de plus.

Après souper, tandis que je faisais la vaisselle avec Éva, Alfred a sorti un damier et s'est mis à jouer aux dames avec Victor. Je ne pouvais m'empêcher de penser que ce soir je coucherais dans le même lit que Victor. Vers neuf heures, Éva a dit à son mari que c'était assez jouer aux dames. Les jeunes devaient être fatigués de toutes ces émotions et il fallait les laisser aller se coucher. Victor ne s'est pas fait prier, et mon cœur s'est mis à battre très fort.

Une fois dans notre chambre, après m'être assurée que la porte était bien fermée, j'ai ouvert mon portemanteau et j'en ai sorti ma robe de nuit et un piqué que maman m'avait donné en m'en expliquant l'usage.

– De quel côté du lit veux-tu coucher? ai-je demandé à Victor.

– Ça m'est bien égal, pourvu que ce soit dans le même lit que toi.

Alors j'ai ouvert le lit et j'ai placé le piqué de mon côté.

– Qu'est-ce que tu fais? a demandé Victor, fort intrigué.

– Je suis le conseil de maman. C'est que la première fois, ça saigne.

– Quoi! tu vas saigner? Mais je ne veux pas te faire mal, moi.

– Ne t'inquiète pas. Elle m'a assuré que c'était seulement la première fois, je n'en mourrai pas. Déshabille-toi, c'est ce que je vais faire aussi.

La porte de la chambre s'est ouverte et Mère Saint-Édouard d'Alexandrie a paru sur le seuil, avec Mlle Malenfant derrière elle.

– J'ai eu des nouvelles, Madame Marcellan. Le paquebot qui ramenait votre fils est entré au port, mais il est trop tard pour qu'il vienne vous rendre visite ce soir. Il veut que vous dormiez bien cette nuit, et demain il viendra chanter sa messe ici, dans la chapelle. N'est-ce pas que nous sommes chanceux d'avoir un évêque auxiliaire pour célébrer la messe dans notre humble chapelle?

– Ah, ma mère, s'exclama Mlle Malenfant en joignant les mains, quelle émotion! Je crois que je ne pourrai pas fermer l'œil de la nuit.

– Mais, voyons, Mademoiselle Malenfant. Surtout, n'allez pas empêcher sa mère de dormir.

Évidemment, c'était le dernier de mes soucis. Je savais trop bien que le concert nocturne commencerait quelques minutes après que Mlle Malenfant serait couchée.

C'est ce qui est arrivé. Dès que je l'ai entendue, que j'étais sûre qu'elle ne se réveillerait pas, je suis retournée en souvenir au lit où nous étions couchés tous les deux, Victor et moi.

– Marie-Jolie, tu sais qu'il faut que je fasse mon devoir. Je l'ai promis à M. le Curé.

– Oui, je sais, Victor. Mais d'abord, je veux que tu me serres dans tes bras et que tu m'embrasses comme un mari a le droit d'embrasser sa femme.

C'est ce qu'il a fait et je m'abandonnai dans ses bras et à ses lèvres. Bientôt, presque trop tôt. Il m'a couvert de son corps et j'ai senti son sexe dur chercher l'entrée du mien. J'allais enfin connaître ce que c'était que faire l'amour.

Mais, dès qu'il a senti de la résistance, il s'est retiré:

– Je ne peux pas te faire mal, mon amour.

– Il le faut, mon cher mari.

Il a essayé de nouveau, et de nouveau s'est retiré.

Alors qu'il se balançait en équilibre précaire sur les genoux et sur les coudes, je l'ai saisi soudain à bras-le-corps ce qui a eu pour effet de démolir son équilibre :

– Vas-y, Victor, qu'on en finisse!

En fait, il a pénétré beaucoup plus profondément qu'il ne l'escomptait. « Ah, c'était donc cela », ai-je pensé. Et cela ne m'a pas paru extraordinaire.

– Continue, lui ai-je dit

– Est-ce que tu as mal?

– Mais non.

Quand ç'a été fini, il a inspecté le piqué et a vu la tache de sang.

– Alors je t'ai fait mal?

– Mais non, ne t'inquiète pas. Maman m'a expliqué que c'était toujours comme ça, la première fois. Tu voulais savoir si tu pouvais faire ton devoir. Tu l'as fait, mon cher Victor. Tu es vraiment mon mari, maintenant.

– Chère Marie-Jolie, tu es une femme courageuse.

– Maintenant, reprends-moi dans tes bras. Je veux dormir dans les bras de mon mari.

Et, c'est comme ça que s'est passée ma nuit de noces.

Quand je me suis réveillée le lendemain matin, Victor était tourné de l'autre côté et dormait profondément. Je me suis approchée jusqu'à pouvoir regarder son visage. Doucement, j'ai passé ma main sur sa figure. Il a ouvert les yeux et m'a fixée sans toutefois me reconnaître immédiatement. Tout à coup, il m'a saisie dans ses bras et m'a fait basculer de l'autre côté, de sorte que j'étais face à face avec lui :

– Déjà réveillée ? Bien dormi ?

– Mais oui, mon amour. Toi aussi, à ce qu'il semble.

– Comme un roi. Avec ma petite femme à côté de moi.

J'ai glissé mes bras autour de son cou. Il m'a serrée fort avec ses grandes mains chaudes et s'est mis à m'embrasser partout sur le visage, les paupières, dans le cou.

Après un moment il me murmura à l'oreille :

– Penses-tu que ce soit permis de le faire deux fois dans la même nuit ?

Pauvre Victor ! Toute sa vie, il a pensé à moi d'abord. Et il a eu le souci de faire ce qui était bien.

Nous sommes restés chez sa sœur Éva pendant trois jours avant de reprendre le train pour Ormston d'où Victor a demandé à un homme qu'il connaissait de nous conduire à Saint-Protais. À notre arrivée, sa mère n'a pas paru très contente.

– Je commençais à me demander quand vous reviendriez. Ça été assez occupé au magasin.

– Vous connaissez Éva, maman. Elle nous aurait gardés encore plus longtemps.

– Oui, mais elle, elle n'a pas un commerce à faire marcher.

Victor a porté nos bagages dans la chambre que nous occuperions. J'ai été assez désappointée de voir qu'il n'y avait pas de porte à la chambre, seulement une draperie, comme c'était la coutume dans les vieilles maisons, pour permettre à la chaleur de circuler.

Pendant que tout cela se passait, j'en ai profité pour examiner ma belle-mère. Je la connaissais depuis longtemps, mais là, pour la première fois, j'ai remarqué son visage sévère, ses cheveux lissés vers l'arrière et noués en un chignon serré. Elle souriait peu et s'attendait à ce que ses ordres soient exécutés immédiatement. Encore une fois j'ai envié Cécile qui aurait un appartement moderne à Springfield et qui vivrait seule avec son mari.

Étant donné l'enthousiasme que mettait Victor à faire son devoir, je n'ai pas été surprise quand Maman, qui venait me voir tous les dimanches après la grand-messe, m'a dit, le mois suivant, que j'étais probablement enceinte. Mon aîné, Dollard, est né fin décembe 1896. Cher Dollard, quand j'y pense! C'était un beau bébé, je l'adorais et j'en étais si fière.

L'été suivant a été particulièrement chaud. En juillet, Victor a commencé les foins pour nourrir la vache et notre cheval. Les champs de foin étaient à l'autre bout de la terre, où se trouvait aussi un grand étang qu'on appelait le Petit Lac, j'ai pris l'habitude de lui porter son dîner, pour qu'il n'ait pas à marcher jusqu'à la maison. Cela me donnait aussi l'occasion de le voir et de manger avec lui, tandis que ma belle-mère s'occupait du bébé.

Ce jour-là il faisait particulièrement chaud. Ce pauvre Victor était tout en sueur, et moi-même j'avais chaud. Victor se passait les mains et le visage à l'eau, quand j'ai eu une inspiration :

– Pourquoi est-ce qu'on ne se baigne pas? Ce serait rafraîchissant de se mettre à l'eau jusqu'au cou.

– Il faudrait enlever notre linge.

– Pourquoi pas? Qui peut nous voir, ici? Le lac est tout entouré d'arbres.

– On sait jamais. Tous les voisins travaillent dans les champs de ce temps-ci, et s'ils nous ont entendus parler...

– Ils n'ont qu'à se mêler de leurs affaires. Viens, on va se baigner.

Ce disant, j'ai enlevé ma robe, mes bas, mes souliers, mon jupon, mon cache-corset, mon corset et ma brassière, mais j'ai gardé mon pantalon. Puis j'ai couru au bord de l'eau. Malheureusement, il n'y avait pas de belle plage de sable, mais une espèce de marais où on enfonçait.

J'ai appelé Victor au secours, et il est arrivé. Il m'a soulevée dans ses bras, et, s'avançant dans l'eau, m'y a plongée tout entière. Ses mains s'affairaient sur mon corps comme jamais auparavant, puis il a fait glisser ma culotte. Je pense que c'est ce jour-là que mon deuxième fils a été conçu.

À ma grande surprise, il semble bien qu'un témoin avait surpris nos ébats. Le dimanche suivant, à la grand-messe, quand le curé a commencé son sermon, il avait l'air grave.

« Mes très chers frères, il semble que ceux qui ont séjourné aux États-Unis, quoiqu'ils puissent paraître de bonnes personnes, ont été malgré eux corrompus par les mœurs de là-bas et ont oublié la plus belle parure de l'épouse chrétienne : sa pudeur. Que doit-on penser, mes très chers frères, de jeunes femmes qui se dénudent à l'extérieur, se baignent dans des vêtements qui deviennent transparents une fois mouillés... »

Il a continué longuement dans cette veine, et plus il parlait, plus la colère m'envahissait. Il fallait, comme Victor le craignait, qu'un voisin se fût glissé sur notre terre pour venir nous espionner.

Une fois la messe terminée, j'ai pris le bras de Victor et nous sommes retournés chez nous. Mon mari s'arrêtait de temps à autre pour parler à des gens, mais, moi, je n'avais qu'à guetter sur leurs visages le sourire narquois qui ne manquait pas d'apparaître pour que la colère me reprenne. Une fois à la maison, je me suis dirigée vers notre chambre, j'ai enlevé mon linge propre et me suis habillée comme d'habitude pour servir au magasin. Ma belle-mère m'a dit :

– Laisse faire. Va finir le dîner et mettre la table.

Pour une fois, j'étais contente d'obéir. Quand j'ai eu l'occasion de parler avec Victor je n'ai pu m'empêcher de lui poser la question :

– Tu sais qui est venu nous espionner et a été raconter au curé ce qu'il avait vu?

– Mais oui, il faut que ce soit notre voisin de droite, Jean Ranger. Qu'est-ce que tu veux, je t'avais avertie.

– Est-ce que tu vas aller lui apprendre à se mêler de ses affaires?

– Mais non. Je ne peux pas aller battre nos clients. Dans quelque temps, ils auront d'autres nouvelles à colporter et ça s'éteindra. On en entendra plus parler.

– Tu es trop patient.

En avril, j'ai eu un second fils que nous avons appelé Antonio. J'avais donc deux fils et je me demandais si jamais j'aurais une fille.

VIII

Mon premier-né, Dollard, commençait à marcher et le petit Antonio à se traîner, au grand plaisir de ma belle-mère, qui le trouvait fort pour son âge.

De temps à autre, je recevais une lettre de Cécile, maintenant Madame Fred Barney. Elle était mère d'un seul enfant, une fille nommée Margaret, comme la mère de son mari. Comment faisait-elle pour avoir si peu d'enfants? Comment faisait-on pour empêcher la famille, comme le condamnaient les prédicateurs de retraites paroissiales? J'aurais pu le demander à Cécile, mais je n'osais pas dans une lettre. Son père était maintenant remarié et lui et sa nouvelle femme avaient déjà eu un enfant. Cécile disait n'avoir aucun désir de venir se promener à Saint-Protais. « Pour qu'on puisse se rencontrer, il faudrait que tu viennes en visite aux États-Unis ».

Mais moi, qui étais ou enceinte ou mère d'un jeune bébé, je pouvais m'imaginer ce que dirait ma belle-mère si j'annonçais que j'allais me promener à Chicopee. D'ailleurs je n'aurais pas voulu faire cela à Victor. Je craignais de lui causer de la peine, car c'était un très bon mari et je l'aimais bien.

Le mois de novembre a amené la naissance d'un troisième garçon. Ma belle-mère a insisté pour qu'on le nomme Doria, comme son jeune frère qui était mort dans un accident à l'âge de seize ans. C'était un bébé vigoureux, et j'en étais fière.

Lorsque Victor a dû se rendre à Montréal pour acheter des marchandises avant les Fêtes, il a rapporté un journal.

J'aimais bien lire le journal, même si en cette fin de l'année 1899 il y avait surtout des nouvelles de la guerre en Afrique du Sud. Des soldats canadiens y combattaient et y mouraient. J'ai regardé mes fils : heureusement que ce serait fini avant qu'ils ne grandissent!

Une nouvelle que j'ai trouvée plus intéressante touchait justement le Jour de l'An de cette dernière année du siècle. On y racontait que, le 24 décembre 1899, le Pape ouvrirait solennellement la porte sacrée à Saint-Pierre de Rome et proclamerait une année sainte pour la première année du nouveau siècle. On ajoutait que, selon certains savants, le nouveau siècle ne commencerait que le 1er janvier 1901, mais que ce soit la première ou la dernière année du nouveau siècle, Mgr Bruchési, l'archevêque de Montréal, expliquait dans une lettre, dont le curé nous fit lecture au prône, que cette porte sainte ne s'ouvrait que très rarement. En ce siècle, elle avait été ouverte en 1825 à cause de troubles en Italie, et en 1850 à cause de l'attitude hostile du gouvernement italien à l'égard du Vatican. Le 24 décembre donc, Sa Sainteté Léon XIII l'ouvrirait une troisième fois. Il viendrait frapper à cette porte trois fois avec un marteau d'or et des ouvriers à l'intérieur travailleraient à desceller la porte pour l'ouvrir. Une autre nouvelle m'a réjouie : il y aurait, cette année-là, deux messes de minuit : une à Noël et une autre dans la nuit du dimanche au lundi, la veille du Jour de l'An. La messe de minuit m'avait tellement manqué durant mon séjour aux États-Unis que, cette année, je serais vraiment servie puisqu'il y en aurait deux.

J'ai eu une courte alarme quand ma belle-mère m'a annonçé qu'elle garderait les enfants à Noël, mais qu'elle assisterait à la messe du Nouvel An. Heureusement que ma mère est venue avec ma sœur Jeanne avant la messe et que Jeanne a spontanément offert de rester avec les enfants.

Évidemment Paul Lagrange ne chanterait pas le *Minuit chrétiens!* Je me demandais ce qu'il avait choisi. Toute l'assistance a été émue lorsqu'il entonna *Mon Dieu, bénissez la nouvelle année!*

De retour à la maison, au moment où elle revêtait son manteau, Jeanne m'a glissé à l'oreille qu'elle aurait quelque chose d'heureux à m'annoncer quand on aurait le temps de parler plus à loisir. Je l'ai pressée de me dire de quoi il s'agissait, mais elle m'a affirmé qu'il me faudrait attendre et, avec un sourire espiègle, elle s'est sauvée dehors où attendait la carriole de mon père. J'ai été un peu rassurée par l'idée que ce soit quelque chose d'heureux. Dieu sait qu'elle le méritait bien!

J'ai dû attendre presque toute la semaine avant que mon père ne revienne au village et amène Jeanne avec lui. Ma belle-mère étant occupée au magasin, j'ai fait passer Jeanne dans ma chambre. En parlant bas, nous pouvions être sûres qu'elle ne nous entendrait pas.

– Alors qu'est-ce que c'est que ces bonnes nouvelles, Jeanne?

– Je vais me marier.

– J'en suis bien contente. Et avec qui?

– Avec Léonard Marcotte.

– Quoi! Celui qui est devenu veuf de sa deuxième femme il y a seulement quelques mois? Dis-moi que ce n'est pas vrai!

– Écoute, Marie-Julie. Je suis bien chanceuse. Ce n'est pas tout le monde qui voudrait se charger d'une infirme. Il a besoin d'une femme pour prendre soin de ses deux enfants et moi ça me plairait bien d'avoir des enfants à aimer.

– Tu n'as pas à penser qu'il te fait une faveur, jolie et gentille comme tu es. C'est toi qui es beaucoup trop bonne pour lui. J'ai entendu dire qu'il battait ses femmes. C'est pour quand, le mariage?

– Il a demandé à papa que ce soit le mercredi 18 janvier.

– Déjà? Je ne peux pas croire que tu vas marier cet homme-là.

– C'est que tu ne le connais pas. Il est vraiment gentil et aimant. Je sais que je serai heureuse avec lui. Et puis, moi aussi je veux me marier et avoir des enfants, chose que je pensais qui ne m'arriverait jamais.

Je n'ai plus rien osé dire. J'attendrais le soir pour en parler à Victor. Il connaissait les hommes de la paroisse mieux que moi.

Ce soir-là, je n'ai rien eu de plus pressé que d'apprendre cette nouvelle à mon mari :

– Qu'est-ce qu'on peut faire? Tu sais qu'il a la réputation d'être un batteur de femmes. On ne peut pas laisser Jeanne épouser cet homme-là.

– Tu me dis que la date du mariage est fixée et que ton père a consenti. Il n'y a pas grand-chose à faire.

– Mais il le faut!

– Écoute, Marie-Jolie. Je comprends ta sœur. Elle s'était résignée à n'avoir jamais de mari. Et je comprends Léonard aussi. Le voici veuf avec deux enfants à élever. Alors pas surprenant qu'il se hâte.

– Est-ce vrai oui ou non qu'il battait ses femmes?

– Il y a eu des commérages, en effet, mais allez savoir si c'est vrai. Personne ne l'a jamais vu faire.

C'est tout ce que j'ai pu en tirer. Pourtant mon instinct me disait qu'il y avait un fond de méchanceté dans cet homme. Mais quand je voyais Jeanne, elle resplendissait et, le cœur gros, j'ai dû me résigner. Quand j'en ai parlé à maman, elle m'a dit que si on empêchait ce mariage et qu'elle ne trouvait personne d'autre à épouser, elle nous en voudrait toute sa vie. Puis Jeanne m'a demandé si elle pouvait emprunter ma robe et le chapeau. Je ne pouvais guère le lui refuser. Pourtant, quand est arrivé le 18 janvier et que j'ai assisté au mariage, j'ai murmuré à Victor qu'elle me faisait penser à un agneau que l'on conduit à l'abattoir.

Après le mariage, je ne l'ai plus vue durant plusieurs semaines. Quand son mari venait au village, jamais il ne l'emmenait. Victor me disait que c'était bien compréhensible puisqu'elle avait deux enfants à garder, mais j'étais tellement inquiète que j'ai supplié Victor de me conduire chez elle à la première occasion. Jeanne a paru un peu surprise de nous voir arriver et, quand son mari est entré, il s'est montré moins que cordial. Toutes mes tentatives pour entraîner ma sœur à l'écart ont été infructueuses et nous avons dû repartir sans que j'en sache plus long. Il était visible que Jeanne n'était plus resplendissante comme avant son mariage. Quand Maman est venue chez moi après la grand-messe et que je lui ai fait part de mes observations, elle m'a dit de ne pas m'inquiéter, que peut-être elle était enceinte et que c'était simplement un début de grossesse difficile :

– Ne t'inquiète pas. Je vais aller la voir souvent.

– Oui, mais si vous découvrez qu'il la maltraite, qu'est-ce qu'on peut faire?

– Pas grand-chose, ma pauvre enfant. Faut espérer que ça n'en viendra pas là. Elle est tellement douce, quelle excuse aurait-il pour la battre?

Pauvre mère! Elle qui avait été mariée à mon père, un homme qui, selon elle, était trop doux, elle ne pouvait imaginer le genre de personne qu'était Léonard Marcotte.

Les semaines passaient et jamais on ne voyait Jeanne au village. Ma mère m'a confirmé qu'elle était enceinte et que le bébé devrait naître en octobre. La grossesse semblait être difficile, mais elle m'a dit que Jeanne était heureuse. Elle avait tant désiré un enfant à elle!

En mai, n'y tenant plus, j'ai demandé à Victor de me conduire chez les Marcotte.

Comme lors de notre première visite, Léonard est bientôt arrivé, même si j'avais demandé à Victor de l'amuser au-dehors pour que je puisse parler avec Jeanne en toute confidence. Il est entré et a regardé Jeanne d'un air sévère, comme s'il redoutait qu'elle m'ait raconté des choses qu'elle aurait dû taire. Cette attitude n'a pas manqué de m'inquiéter et je me suis juré d'entraîner Jeanne dans un endroit où nous pourrions parler. Après un bout de temps, j'ai demandé à Jeanne si elle avait commencé un jardin, vu qu'il faisait si beau et qu'on avait eu un printemps vraiment exceptionnel.

– Oui, m'a-t-elle dit, maman est venue m'aider.

– Alors, viens me le montrer, ai-je dit en l'entraînant dehors. Je suis toujours très curieuse de voir les jardins des autres.

Léonard s'est levé et a fait mine de nous suivre, mais Victor s'est mis à lui parler tout en se levant et en bloquant la porte, de sorte que, pour sortir, mon beau-frère aurait dû déplacer la carrure imposante de mon mari. Il n'a pas osé. Cher Victor, jamais je ne l'ai aimé comme cette fois-là.

– Qu'est-ce que tu as, Jeanne? Tu n'as pas l'air bien du tout.

– Rien. Mais j'ai encore des nausées. Est-que tu en avais toi, passé le troisième mois?

– Non, mais tu as le visage si amaigri que je me demande s'il n'y a pas autre chose. Dis-le moi, je t'en supplie. Qu'est-ce que tu as?

– Je ne peux pas, ce serait encore pire.

À force de la supplier et de la cajoler, j'ai fini par apprendre ce dont je me doutais bien. Il y avait vraiment quelque chose d'inquiétant et d'incompréhensible dans ce mariage-là.

– J'ai peur, Marie-Julie. J'ai peur qu'il ne provoque une fausse couche et que je perde mon bébé.

– Mon Dieu, qu'est-ce qu'il fait?

Elle a fini par me dire que Léonard était content qu'elle soit infirme, mais qu'il se servait de cette infirmité pour la terroriser. Il aimait faire l'amour à une femme qui avait peur; alors il maltraitait sa pauvre jambe jusqu'à ce qu'il voie la terreur dans ses yeux, ce qui lui permettait de bander et de finir ce qu'il avait à faire. J'en ai été renversée : c'était pire que tout ce que j'avais pu imaginer.

Sur le chemin du retour, j'ai mis Victor au courant de la vraie situation. Il en a été très surpris. Lui non plus, comme mon père, ne pouvait croire qu'un homme puisse agir de cette façon.

– Il n'y a qu'une chose à faire : il faut que tu ailles avec mon père lui dire que s'il maltraite Jeanne encore, il va avoir affaire à vous deux. J'ai bien remarqué que lorsque nous sommes allées au jardin et que tu t'es mis dans la porte, il n'a pas osé sortir. Dans le fond, c'est un peureux. Il est brave seulement avec les femmes.

– Tu m'en demandes beaucoup, Marie-Jolie. De quoi je vais avoir l'air, moi, d'aller me mêler du mariage des autres?

– T'en fais pas, je vais tout arranger avec mon père.

Lorsque j'en ai parlé à mon père, lui non plus n'a pas voulu croire une chose pareille. « Elle doit exagérer, m'a-t-il dit. Je comprends qu'il n'est peut-être pas toujours gentil, mais de là à la faire pâtir délibérément, y a d'la marge. »

Heureusement que j'allais bientôt rencontrer quelqu'un qui me croirait, lui.

IX

Nous en étions à l'avant-dermière semaine de juin de l'année 1900. Il faisait beau et chaud et j'ai remarqué que les fraisiers sauvages au bord des fossés portaient des fruits qui commençaient à mûrir. Aussi, en ce mardi après-midi, ai-je annoncé à ma belle-mère que j'irais explorer la prairie au bout de notre ferme, près du grand étang voir s'il y avait assez de fraises pour que ça vaille la peine de les cueillir afin d'en faire des confitures pour l'hiver. J'avais déjà couché les enfants pour leur somme de l'après-midi.

– Mais oui, Julie, a-t-elle dit. Je ne crois pas que ça soit très occupé au magasin cet après-midi, et Victor devrait revenir de Montréal avant la fin de la journée. C'est une très bonne idée.

J'ai donc pris une petite chaudière et une tasse et je me suis dirigée à travers champ vers la grande prairie, comme on l'appelait. J'aimais bien ces quelques heures dans la tranquillité des espaces ouverts, bien protégée contre les rayons du soleil par mon grand chapeau de paille, avec pour tout bruit le chant des oiseaux et le bourdonnement des insectes. Je n'ai pas eu à chercher longtemps dans le grand foin avant de découvrir une talle intéressante, même si les fraises n'étaient pas toutes mûres. Ce serait mieux dans quelques jours, mais, en attendant, il y en avait suffisamment pour le dessert du soir. Je me suis donc agenouillée pour remplir ma tasse, quitte à la verser dans la chaudière. Lorsqu'elle a été pleine, je me suis levée. Tout à coup j'ai vu un homme inconnu quitter la route qui passait plus loin et se diriger vers moi à travers champ. Il portait un long paletot noir et une besace noire, également, retenue par une courroie en bandoulière. Je l'ai regardé s'avancer avec inquiétude, surprise de voir cet étranger venir m'aborder dans un lieu aussi désert. Quand il a été plus près, il a enlevé son chapeau noir, découvrant une toison fournie de cheveux d'un blond roux, et il m'a fixée avec des yeux si bleus qu'ils me rappelaient le bleu de la flamme du gaz qui alimentait le poêle à cuisson de la Tante Oblore au Massachusetts.

– Bonjour, m'a-t-il dit avec un grand sourire qui a découvert des dents blanches, parfaitement rangées. Il fait beau et chaud. Je sais qu'il y a souvent beaucoup de sources dans ce pays, surtout près d'un étang comme celui que je vois un peu plus loin. Est-ce que j'ai raison?

– Vous avez bien deviné. Il y a une source à droite de l'étang. Attendez. Je vais vider mes fraises dans la chaudière et je vous donne la tasse pour que vous puissiez y boire.

– Ne vous dérangez pas. Je voyage avec ceci, a-t-il ajouté en tirant une tasse de fer blanc de sa besace. Si vous aviez seulement la bonté de m'indiquer où se trouve la source... j'ai une telle soif.

D'un geste de la main, je lui ai indiqué la direction à prendre tout en me levant pour le guider jusqu'à la source. Il a remis son chapeau et m'a suivie. Une fois arrivé, il a rempli sa tasse et en a bu deux ou trois de suite :

– Ah! c'est merveilleux. Ces sources sont vraiment une bénédiction. L'eau est froide et pure. Merci, infiniment.

Mais j'ai interrompu votre travail. Je vous en demande pardon. Est-ce que je pourrais vous aider pour rattraper le temps perdu?

– Ce n'est pas nécessaire. Il va falloir encore quelques jours avant que les fraises soient assez mûres pour que ça vaille la peine de les cueillir. Tout ce que je voulais, c'était d'en ramasser assez pour le dessert de ce soir.

– Alors, je vais vous aider, a-t-il dit en s'agenouillant et en remplissant sa tasse de fraises. Il s'est mis à me questionner sur ma vie, mon mari, mes enfants. Puis, s'apercevant que j'étais mal à l'aise, il a continué :

– Pardonnez-moi de m'intéresser à votre vie, mais vous semblez une jeune femme intelligente, alors cela m'intéresse d'autant plus. Il faut me considérer comme une sorte de missionnaire.

– Êtes-vous prêtre?

– Non, ni médecin non plus. Simplement un homme qui a à cœur de corriger certaines erreurs qu'on a inculquées aux jeunes filles et que j'ai bien de la difficulté à supporter.

– Quelles erreurs?

– Comme, par exemple, j'ai entendu ma mère confier à ma sœur qui se mariait le lendemain qu'il n'y avait pas de plaisir pour la femme dans l'acte conjugal. Et cela de la part d'une femme qui avait mis neuf enfants au monde!

– Et c'est sa faute?

– Vous avez raison. Je savais que vous étiez intelligente. Ce n'est pas un compliment pour mon père. Mais là aussi il faut se dire qu'on a toujours enseigné aux garçons que la femme chrétienne ne prenait pas de plaisir à ces choses, qu'elle s'y prêtait uniquement pour faire son devoir, pour éviter à son mari de tomber dans le péché et pour avoir des enfants.

La conversation a continué entre nous jusqu'à ce que je prenne conscience que le soleil baissait et que je devais rentrer pour le souper. Je ne cessais de m'étonner de penser que je parlais de sujets pareils avec un homme que je n'avais jamais vu avant aujourd'hui, mais il y avait une telle expression de bonté dans son visage! Et il ne se moquait pas de moi, il semblait accueillir avec sérieux tout ce que je disais.

– Ah! mon Dieu, il faut que je rentre. Ma belle-mère va se demander ce qui m'arrive, et avec la maigre récolte que je rapporte!

– Vous lui direz que vous avez beaucoup exploré, mais que les fraises ne sont pas encore assez mûres, qu'il leur faudra encore un jour ou deux. Vous allez revenir, n'est-ce pas?

– Oui, car il y a un problème dont je voudrais vous parler. Vous connaissez tellement de choses que je suis sûre que vous me croirez.

– Vous allez venir dans l'après-midi ou le matin?

– Dans l'après-midi, après que j'aurai couché les enfants. C'est plus facile pour ma belle-mère.

– Alors je vous guetterai dans un jour ou deux. Au revoir. J'ai eu beaucoup de plaisir à parler avec vous. Je serai content de renouveler l'expérience.

En retournant à la maison, je ne cessais de m'étonner de lui avoir raconté toutes ces choses et je ne pouvais m'empêcher de me demander ce qu'il dirait quand je lui parlerais de l'histoire de Jeanne. Malheureusement, je ne pouvais rien raconter de tout ça à Victor. Pour la première fois, j'avais un secret pour mon mari.

Le lendemain, il a plu toute la journée. Au repas, j'ai mentionné que j'étais contente, car les fraises mûriraient. De fait, le surlendemain le soleil s'est levé radieux dans un ciel sans nuages. Aussi, dès que le dîner a été fini, ai-je dit à ma belle-mère que je retournerais aux fraises.

– Puisque Victor est là aujourd'hui, je pourrais peut-être aller avec toi. Il pourrait s'occuper du magasin et surveiller les enfants.

J'ai eu toutes les misères du monde à la décourager en lui disant que les prairies seraient humides, ce qui n'aiderait pas ses rhumatismes. Enfin, elle s'est rangée à mon avis et j'ai pu partir seule. Dès que je suis arrivée dans la prairie, j'ai pu constater qu'il y avait beaucoup plus de fraises que la dernière fois et je me suis mise à cueillir le plus rapidement possible pour en avoir une bonne quantité si mon visiteur revenait. De temps à autre, je guettais la route pour voir s'il arrivait. Enfin, j'ai aperçu sa longue silhouette se profiler au loin et se diriger vers moi. Quand il a enlevé son chapeau pour me saluer courtoisement, j'ai ressenti un grand bonheur, que je pus difficilement expliquer.

La conversation s'est engagée. À un moment donné, il m'a demandé :

– Quel est donc ce gros problème dont vous vouliez me parler?

Je lui ai alors raconté l'histoire de ma pauvre sœur et j'ai terminé en lui demandant :

– Est-ce que vous me croyez, au moins? Car ni mon mari ni mon père ne veulent me croire. Ils me disent que c'est impossible qu'un homme fasse une chose pareille.

– Hélas, oui, je vous crois. Il est assez rare de rencontrer des hommes de cette sorte, mais je sais qu'ils existent.

– Alors, qu'est-ce que ma pauvre sœur peut faire?

– Elle pourrait peut-être aller en parler au curé. Il ne changera pas grand-chose, mais ça alertera quelqu'un et peut-être votre père, s'il vient discuter de la chose avec son curé, vous croira-t-il enfin.

– Mais Jeanne, elle, qui est en butte à ses attaques tous les soirs, que peut-elle faire?

– La pauvre femme! Si elle en a le courage, elle pourrait dire à son mari qu'elle en a parlé au curé et à votre père, et que s'il lui arrive quelque chose, le monde saura ce qu'il a fait. Il vaut presque mieux mourir que de vivre dans un mariage pareil!

– C'est surtout pour son enfant qu'elle a peur. S'il fallait qu'elle fasse une fausse couche!

– Et s'il fallait qu'elle mette un enfant au monde et qu'elle doive l'élever avec un père pareil! Y avez-vous pensé?

Encore une fois, le soleil baissait et j'ai dû me hâter pour rentrer chez moi. J'étais pressée de demander à Victor de me conduire chez Jeanne. Le plus tôt serait le mieux. Mais Victor m'a expliqué qu'il était hors de question que nous allions chez les Marcotte cette semaine-ci. Peut-être la semaine suivante.

Il n'y avait qu'une solution : ma mère viendrait dimanche après la grand-messe, comme elle en avait l'habitude; je lui expliquerais qu'il fallait que Jeanne puisse aller parler au curé le plus tôt possible.

– Comme toujours, tu dois exagérer, a-t-elle riposté.

– Mais non, maman. Vous avez vu l'air de Jeanne. Est-ce que vous la trouvez heureuse?

– Ça doit être sa grossesse. Elle entre dans le sixième mois. Tu sais comme ça peut être fatigant.

– Je sais. Mais dites-moi, m'avez vous jamais vue avec une expression de tristesse comme Jeanne?

– Bon, d'accord. J'irai la voir cette semaine et je lui en parlerai.

– Seulement, arrangez-vous pour que son mari ne reste pas là à vous écouter. Avez-vous remarqué qu'il ne la laisse jamais seule, qu'elle ne peut jamais parler ni avec sa soeur, ni avec sa mère sans qu'il soit là à écouter?

– Mais toi, il semble qu'elle a pu te parler seule.

Alors je lui ai raconté comment j'avais prétexté une visite au jardin, et comment Victor avait empêché Léonard de nous suivre, Jeanne et moi. Finalement, elle me promit de s'en occuper.

Pendant ce temps, je continuais d'aller aux fraises. Un jour, une des commères du village étant venue faire des emplettes au magasin, ma belle-mère a vanté mon dévouement à aller cueillir des fruits et a ajouté que nous aurions un bel assortiment de pots de confitures pour l'hiver. La commère s'est tournée vers moi et m'a demandé :

– As-tu rencontré un étranger dans le champ? Il paraît qu'il y a une espèce de quêteux qui guette les femmes seules dans les champs pour aller leur parler.

J'ai senti mon visage pâlir en entendant cela, néanmoins j'ai feint l'étonnement.

– Mais non, je n'ai vu personne.

– Est-ce qu'il est dangereux? Qu'est-ce qu'il fait quand il trouve des femmes seules? demanda ma bellemère.

– Il ne fait rien, a répondu la commère. Simplement, il aime parler aux femmes, apparemment. Il ne semble pas dangereux, excepté qu'il leur tient de drôles de discours.

Je me suis promis que la prochaine fois que je le verrais, je l'avertirais qu'on commençait à parler de lui dans la paroisse et que ça pourrait être inquiétant pour lui.

Il m'a dit qu'il ne craignait rien et nous avons reparlé de Jeanne.

– Si elle pouvait surmonter sa peur! Voyez-vous, c'est comme avoir affaire à un chien méchant. Quand elle a peur, ça l'encourage. C'est le genre d'homme qui a besoin de dominer les femmes, alors si elle ne se laisse pas intimider, elle sera plus en sécurité.

La semaine suivante, comme Victor me l'avait promis, il m'a annoncé qu'il était prêt à me conduire chez les Marcotte. Je lui ai demandé de m'aider, comme il l'avait fait la première fois, pour que je puisse parler avec Jeanne sans que son mari vienne nous écouter.

Il a tenu parole, entraînant Léonard à l'extérieur sous un prétexte quelconque. Dès qu'ils sont sortis, je me suis empressée de parler à Jeanne.

– Alors, ton mari est toujours pareil? Tu sais de quoi je parle?

Jeanne a fait signe que oui, et de grosses larmes sont montées à ses yeux. Je lui ai expliqué qu'elle serait beaucoup plus en sécurité si elle pouvait surmonter sa peur. D'ailleurs, maintenant qu'elle l'avait dit au curé et à maman, s'il lui arrivait quelque chose, Léonard serait dans de mauvais draps.

– Comment tu sais ça, toi? En as-tu parlé à quelqu'un?

Un moment, je n'ai pas su quoi répondre. Soudain, j'ai eu une inspiration.

– Mais non, Jeanne. Tu sais que Victor, quand il va à Montréal pour le magasin, il rapporte un journal. Alors, j'ai vu ça dans le journal.

Je l'ai dit avec d'autant plus d'assurance que Jeanne ne voyait jamais de journal et n'avait aucune idée de ce qu'on y trouvait.

Déjà Léonard et Victor revenaient. Nous ne nous sommes pas attardés longtemps, et sur le chemin du retour j'ai dit à Victor qu'il avait été très gentil et que j'avais pu parler à ma sœur.

– Alors, est-ce qu'il se comporte mieux maintenant?

– Mais non, seulement maintenant qu'il sait que le curé et maman sont au courant, il va peut-être faire plus attention.

– C'est quand même difficile à croire, qu'il traite sa femme, et une femme enceinte en plus, de cette façon.

– Tu es comme mon père. Vous êtes trop bons pour imaginer qu'un homme puisse être aussi méchant que ça. Tu sais, Victor, je suis bien heureuse d'avoir un mari comme toi.

X

L'abbé Pancrace Tremblay, curé de Saint-Protais, ruminait des pensées amères. Qu'avait-il besoin de ce quêteux qui apparemment hantait sa paroisse depuis quelque temps, cherchant à parler aux jeunes femmes ou aux jeunes filles pour les troubler avec ses idées? Des idées qu'on ne pouvait tolérer, bien sûr.

Dans les dernières semaines, trois ou quatre de ses paroissiens étaient venus lui parler de cet intrus qui venait verser son fiel dans la tête de bonnes mères de famille, risquant de ruiner l'autorité des maris, créant du désordre dans la paroisse. N'avait-il pas dit à la femme d'Athanase Guay, une femme admirable qui produisait un beau bébé en santé au moins tous les deux ans, qu'elle aussi avait droit au plaisir associé à l'acte conjugal? Avait-on jamais entendu des choses pareilles? Comme si de bonnes mères de famille allaient se comporter en prostituées!

Des coups discrets à la porte de son bureau ont interrrompu ses ruminations.

– Entrez!

La porte s'est ouverte et Madame Marcoux, sa ménagère, a paru sur le seuil.

– Monsieur Léonard Marcotte demande à vous voir.

– Faites-le entrer.

Elle est sortie, laissant la porte ouverte. Un homme de taille moyenne, cheveux noirs et poils de barbe ombrant le bas de son visage, est entré précipitamment. Il avait l'air furieux.

Le curé lui a indiqué la chaise devant son bureau, mais Léonard s'est mis à parler sans s'asseoir, penché par-dessus le pupitre au point d'avoir son visage contre celui du curé, chose qui déplaisait souverainement au curé Tremblay.

– Est-ce que vous savez que ma femme m'empêche de faire mon devoir? Il va falloir que vous la remettiez dans le bon ordre.

– Asseyez-vous, Léonard, et parlons calmement. Pourquoi dites-vous qu'elle vous empêche de faire votre devoir? Il me semble qu'elle est enceinte, non?

– Oui, mais c'est long, neuf mois. Et j'ai des besoins, moi.

– Quand est-ce que le bébé doit naître?

– Dans six semaines. J'peux pas attendre tout ce temps-là.

– Est-ce qu'elle vous refuse?

– Non, mais c'est tout comme. Quand je lui donne quelques claques et que j'lui dis de se préparer, elle me dit qu'elle n'a pas peur, que si elle fait une fausse couche, ou si je la tue, tout le monde va le savoir, qu'elle vous en a parlé et qu'elle l'a dit à sa sœur et à sa mère. Alors, moi, j'peux plus bander. C'est comme ça qu'elle m'empêche de faire mon devoir.

– Votre devoir, il est déjà fait, puisqu'elle attend un enfant dans quelques semaines.

– Alors vous êtes en train d'me dire que pour me soulager, il va falloir que j'aille voir des femmes qui se font payer?

– Mais non. Ce que je vous dis, c'est de prier pour avoir la patience d'attendre que l'enfant soit né. C'est le devoir de tous les hommes avant la naissance d'un enfant.

– Pas moi, en tout cas. Jusqu'à maintenant, elle avait peur. Moi ça me prend ça, qu'elles aient peur, autrement j'peux pas bander. Alors, qu'est-ce que vous allez faire? Et pourquoi, tout à coup, elle a arrêté d'avoir peur? J'pense que c'est sa sœur, la femme de Victor Marcellan, qui lui a mis ça dans la tête.

– Vous rendez-vous compte que les maris ordinaires ne maltraitent pas leur femme? Vous devriez prier pour que le bon Dieu vous délivre d'idées pareilles. Vous avez une femme gentille et douce. De quoi vous plaignez-vous? Mais rappelez-vous qu'elle n'a pas tort lorsqu'elle dit que si vous la maltraitez au point de la blesser ou de la tuer, vous allez avoir des ennuis avec la police.

– Alors, vous êtes en train de m'conter que j'ai pas d'autre choix que d'aller voir des guidounes?

– Mais non, ce n'est pas ça. Je vous recommande de faire comme les autres maris, de prier pour ne pas avoir des idées pareilles.

Lorsqu'enfin il a pu se débarrasser de Léonard Marcotte, il a pensé que sans nul doute cet homme était fou. Est-ce qu'il faudrait s'occuper de le faire admettre à Beauport? Il revoyait encore le doux visage de la jeune femme lorsqu'elle était venue lui raconter les sévices que son mari lui faisait subir. Mais enfin, elle l'avait épousé librement, c'était son mari, et on ne sépare pas ce que Dieu a uni.

Et puis, qu'est-ce que Léonard avait raconté? Que sa belle-sœur, la femme de Victor Marcellan, était venue se mêler de leur mariage? Cette femme avait gardé un mauvais esprit de son séjour aux États-Unis. Est-ce qu'elle aussi était tombée sous l'influence du quêteux? Ce serait tout à fait plausible.

Au prône du dimanche suivant, il n'a pas manqué d'en parler. Et il a exhorté ses ouailles à prier, afin que ce faux prophète disparaisse de leur belle paroisse catholique avant d'avoir fait des adeptes.

Au début de la semaine, tandis que Léonard s'occupait à engranger sa récolte de blé d'Inde, il aperçut un superbe chevreuil qui broutait au bord du champ. Il se promit que le lendemain il irait chasser de ce côté-là. Il pourrait ainsi se faire une belle provision de viande avant l'hiver

Selon une habitude qu'elle avait prise depuis quelque temps, sa femme est allée s'étendre sur son lit après le repas. Vraiment, songeait-il, elle exagérait, elle s'écoutait trop. Il aurait dû la forcer à venir travailler au champ avec lui. Les femmes ne devraient pas passer leur temps couchées sous prétexte qu'elles étaient enceintes. Enfin, c'était aussi bien. Il pourrait prendre sa carabine et aller à la chasse en paix, sans qu'elle s'énerve.

Ce qu'il fit. Mais il eut beau scruter le champ, il n'y découvrit aucun gibier. Alors il prit la route qui longeait sa ferme et qui conduisait à un étang où les animaux venaient boire. Sans doute il y découvrirait une proie.

Il marchait d'un bon pas depuis quelque temps lorsqu'il vit un homme mince, vêtu d'un long paletot noir, qui allait d'un pas paisible dans la même direction que lui.

« Eh bien, pense-t-il, je gagerais n'importe quoi que c'est là le quêteux dont le curé nous a parlé. Et il souhaitait que le bon Dieu nous en débarrasse. Je vais exaucer son vœu. Il va être content. »

Il mit l'étranger en joue. Cependant, avant de tirer, il examina la route et les alentours. Rien, pas de témoin en vue. Quand il reprit sa position, un tournant de la route avait dérobé sa cible à son regard. Alors, il pressa le pas, et bientôt aperçut l'homme qui cheminait tranquillement.

L'homme enleva son chapeau, découvrant une toison d'un blond roux.

– Il a tout à fait l'air d'un chevreuil, se dit Léonard. Il prit le temps de viser et pressa sur la gâchette. L'homme tomba, foudroyé. Une grande satisfaction envahit le chasseur.

Puis il pensa qu'il vaudrait mieux aller annoncer à quelqu'un qu'il venait de se produire un malheureux accident de chasse. Mais à qui? Le mieux, conclut-il après réflexion, serait d'aller avertir le maire, M. Hercule Breton. Auparavant, il faudrait d'abord s'assurer que l'individu était bien mort.

Arrivé près de la victime qui gisait face contre terre, il a retourné le corps de son pied. Il n'y avait pas de doute : ces yeux vitreux et fixes, la tache de sang sur la poitrine ne trompaient pas. Il est alors revenu en hâte à la maison, a attelé son cheval et est descendu au galop vers le village pour avertir le maire. Avant de retourner chez lui, il n'a pu s'empêcher d'entrer au magasin Marcellan pour raconter la chose à Victor. Sans doute, il répéterait la nouvelle à sa femme et la belle Julie saurait ce qui arrive aux étrangers qui viennent troubler la paix.

– Ç'a été un pur accident, a-t-il déclaré. Je marchais dans le chemin quand un beau chevreuil est sorti du petit bois à Athanase Guay. Juste comme je tirais, ce grand bonhomme est venu se placer entre moi et le chevreuil. Il aurait dû faire attention, surtout quand c'est le temps de la chasse. Par-dessus le marché, il avait enlevé son grand chapeau noir et il avait une crinière de la même couleur que le chevreuil.

La nouvelle s'est répandue par toute la paroisse avant la fin de la journée. La première observation de Julie, lorsque Victor l'a mise au courant, fut de dire :

– C'est sans doute Léonard qu'a fait par exprès. Il est assez méchant pour ça.

– Comment peux-tu dire ça, Marie-Jolie? J'sais qu'il n'est pas toujours gentil, mais de là à tuer un homme, y a de la marge! T'es mieux de ne pas l'accuser ou de parler comme ça devant qui que ce soit!

XI

Toutes ces choses que Maman avait entendu dire du mari de Jeanne avaient fini par l'inquiéter. Un jour elle est arrivée chez sa fille et a annoncé à Léonard, son gendre, qu'elle emmenait Jeanne chez elle, jusqu'à l'accouchement.

– Alors, qu'est-ce que j'vais faire, moi? Qui va garder les enfants?

– Tu peux faire la même chose que tu faisais avant que tu maries Jeanne. Il y avait une voisine qui gardait les enfants.

– Oui, mais quand un homme se marie, c'est pour avoir une femme à la maison.

– Ma fille n'a pas l'air bien du tout. Il vaut mieux qu'elle n'ait pas de responsabilités et se repose avant l'accouchement, a affirmé Maman d'un ton sans réplique. Puis se tournant vers mon père : « Va atteler, Damase. »

Jeanne, qui avait suivi la conversation, a eu un tel air de bonheur que Maman s'est sentie un peu coupable de n'avoir rien fait avant. Quand j'ai appris que Jeanne était rendue chez nous, j'ai demandé à Maman de me faire avertir quand Jeanne entrerait en travail, car je voulais être avec elle lorsque l'enfant naîtrait.

Aussi, n'ai-je pas été surprise quand un soir, une couple de semaines plus tard, mon père est arrivé, comme nous nous levions de table après souper.

– Je m'en vais chercher le docteur Prévost, a-t-il annoncé.

– Pourquoi pas le docteur Robert, le nouveau docteur qui s'est installé à Ormston? J'aurais plus confiance en lui.

– Ta mère veut pas en entendre parler. Apparemment, il va même pas à la messe et il se serait fait mettre à la porte de l'hôpital Notre-Dame de Montréal dans des circonstances mystérieuses.

– Ça fait rien. Je suis sûre qu'il s'y connait mieux que le vieux docteur Prévost. Est-ce que Maman oublie que c'est à cause du docteur Prévost que Jeanne est devenue infirme?

– Ça, c'est pas prouvé, tu le sais bien. Pour elle, c'est lui qui vous a tous mis au monde et tout s'est bien passé.

Une fois mon père parti, Victor m'a dit qu'en effet le docteur Prévost devait être assez compétent pour mettre un enfant au monde. Il avait tellement d'expérience. Je n'étais pas rassurée, et j'ai demandé à Victor de me conduire auprès de ma sœur.

En arrivant, j'ai trouvé Jeanne couchée. Elle souriait :

– Tu vois, je vais avoir un bébé bien à moi. Ah, Julie, je pensais que jamais cela ne m'arriverait!

J'étais prête à lui rappeler qu'en effet elle l'avait bien gagné. Je me suis contentée de lui serrer les mains.

Une heure plus tard, mon père revenait.

– Le docteur n'était pas là? ai-je dit avec un peu d'espoir.

– Mais si, il me suit. Il aimait mieux prendre sa voiture pour pouvoir s'en retourner quand tout sera fini.

En effet, le docteur Prévost est entré et a retiré son chapeau, découvrant son abondante chevelure blanche. Il est allé à la pompe et s'est lavé les mains avec l'eau froide et un peu rouillée de notre puits, il s'est essuyé à la serviette qui pendait au rouleau et dont tout le monde se servait, puis est venu examiner Jeanne.

– C'est votre premier? a-t-il demandé.

– Oui.

– Alors, rien ne presse. On en a pour un bon bout de temps.

Il est allé s'asseoir dans un fauteuil, a sorti sa pipe, l'a allumée et s'est mis à son aise. Pendant ce temps, assise au chevet de Jeanne, je lui tenais les mains, lui parlant doucement pour la distraire.

Puis les douleurs sont devenues plus rapprochées et plus fortes. « Il se passe quelque chose » ai-je annoncé au docteur Prévost. Il est venu de nouveau examiner Jeanne, puis il lui a déclaré : « N'ayez pas peur. Bientôt, je vais vous endormir et quand vous vous réveillerez, vous aurez un beau bébé. »

Jeanne lui a fait son doux sourire. Le docteur a demandé à ma mère une serviette de toile blanche et, l'étendant sur le visage de Jeanne, il a versé sur la serviette un liquide qui sentait fort. À ce moment, je lui ai presque pardonné, car en quelques minutes Jeanne s'est endormie. Encore quelques contractions et bientôt la tête de l'enfant est apparue. De ses grandes mains, le docteur soutenait l'enfant, et dès qu'elle est née (car c'était une fille), il l'a déposée sur le ventre de sa mère et après avoir attaché le cordon à deux endroits, il l'a sectionné entre les nœuds. Avant de remettre le bébé à Maman qui attendait avec une petite couverture pour l'envelopper, il l'a suspendu par les jambes et l'a frappé doucement dans le dos. Bientôt la petite a poussé un hurlement et il l'a donnée à Maman.

– Maintenant, on n'a plus qu'à attendre la suite, et tout sera fini, assura le docteur.

Le temps passait, rien ne se produisait. Le docteur, dont les yeux ne tenaient plus ouverts, venait faire des frictions sur le ventre de Jeanne et tirait un peu sur le cordon, mais rien ne venait. Alors, en désespoir de cause, il a saisi le cordon et, l'enroulant autour de son gros poignet velu, il a tiré d'un coup sec. Jeanne, qui commençait à s'éveiller, a poussé un cri déchirant que j'entendrai le reste de mes jours. La «suite» a glissé hors du corps avec une impressionnante quantité de sang.

Le docteur a pris la «suite» sanguinolente, il l'a enveloppée dans la serviette et, la donnant à mon père, lui a demandé :

– Tiens, Damase, va donc m'enterrer ça dans le jardin.

J'avais pris le bébé des mains de ma mère, et voyant que Jeanne était réveillée, j'ai mis la petite sur l'oreiller près de son visage.

– Regarde, tu as une belle fille.

– Oh, que je suis heureuse!

La petite avait beaucoup de cheveux noirs, et Jeanne s'est mise à la caresser, à tracer ses fins sourcils, à lui découvrir les pieds, à admirer les minuscules orteils.

– Elle te ressemble quand tu es née, avec tes cheveux noirs, lui a confié Maman. Comment vas-tu l'appeler ?

– Il va falloir attendre ce que Léonard décidera.

– Tu vas pas te presser pour retourner chez toi. Il faut que tu te reposes au moins une semaine, n'est-ce pas Maman?

– Oui, Julie a raison. Ça ne presse pas pour reprendre la besogne. Il faut que tu te reposes au moins une semaine.

– J 'sais pas si Léonard voudra.

– T'inquiète pas, c'est moi qui vais lui parler, a répondu Maman de son air énergique.

Jeanne a souri et a fermé les yeux pour dormir, l'air tout à fait sereine. J'ai alors posé un baiser sur son front et sur la tête de la petite et je lui ai dit au revoir. Je n'avais pas à m'inquiéter pour le moment.

Au bout d'une semaine, Jeanne commençait à se lever. Nous avions des nouvelles par mon père, qui ne manquait pas de venir nous voir à chaque fois que ses affaires l'amenaient au village. La semaine s'achevait et Léonard avait annoncé qu'il viendrait chercher sa femme et le bébé le lendemain.

Vers la fin de l'après-midi, mon père est arrivé en trombe.

– J'sais pas c'que Jeanne a. Elle a été prise d'un gros frisson à midi, et depuis c'temps-là elle reste couchée.

– Je vais retourner avec vous, papa. Le temps de parler à ma belle-mère, pour voir si elle peut garder les enfants, et je viens.

– Va, Marie-Jolie, est intervenu Victor. J'expliquerai à maman.

– Merci, lui ai-je dit en l'embrassant. T'as toujours été un mari en or.

Dès que je suis entrée dans la maison, j'ai été frappée du changement qui s'était opéré chez Jeanne. Elle avait les yeux cernés de noir. J'ai posé ma main sur son front; il était brûlant.

– Nous devons aller chercher un docteur. Et cette fois, il faut demander le docteur Robert.

– Ah non! s'est exclamée Maman. Pas cet homme qui va même pas à la messe!

– C'est mieux que le vieux docteur Prévost. Si elle est malade comme cela, ça doit être à cause de lui. Papa, je vous en supplie, allez chercher le docteur Robert.

Pour la première fois, il a défié maman. Deux heures plus tard, il est revenu avec le docteur Robert, un homme assez jeune, dans la trentaine. Après examen, le docteur déclaré :

– Il faut la conduire à l'hôpital de Sherbrooke au plus tôt. Heureusement, je crois qu'il y a un train pour cette ville cet après-midi à quatre heures.

– Mon Dieu, a demandé maman faiblement, est-ce qu'il faut l'envoyer à l'hôpital? On peut pas la soigner ici?

– Malheureusement non. Il faudra probablement qu'elle soit opérée.

Maman a poussé un cri, car en ce temps-là, très peu de gens survivaient à une opération. Jeanne s'est tournée vers elle :

– S'il m'arrive quelque chose, pouvez-vous prendre la petite?

– C'est moi qui vais m'en occuper, Jeanne. Et je t'assure que je vais en prendre bien soin, lui ai-je affirmé en lui tenant les mains. Mais je suis sûre que tu vas guérir.

Elle a eu un pâle sourire et dans un souffle, m'a remerciée.

Mais je ne veux plus évoquer ces tristes souvenirs. Les choses ont suivi leur cours inexorable. Les funérailles de Jeanne ont eu lieu trois jours plus tard.

Le soir de son départ pour l'hôpital, je suis revenue chez moi avec la petite. Mon cher Victor n'a fait aucune objection à l'adopter. Sur le chemin du retour, j'avais décidé de l'appeler Marie-Jeanne.

Deux choses me consolaient. Je me souvenais que le «quêteux» avait dit qu'il valait presque mieux mourir que de vivre avec un mari comme celui de Jeanne, et puis il y avait la petite Marie-Jeanne. Heureusement, elle n'avait rien de son père. C'était une copie conforme de ma sœur Jeanne.

Il y avait aussi ma petite Cécile; elle avait maintenant un an. Elle a été enchantée d'avoir une petite sœur et leur amitié est toujours restée solide. À cette époque, je me suis aperçue que j'étais de nouveau enceinte. Mon fils André est né début avril. Il avait les yeux bleus et les cheveux blond roux, ce qui m'a rendue un peu nerveuse. Victor a déclaré que cet enfant était le portrait tout craché de son oncle André.

– N'est-ce pas qu'il ressemble à mon oncle André, maman?

– Celui qui est parti pour les chantiers des États à dix-sept ans et qui s'est noyé dans la Megalloway?

– C'est ça, je m'en souviens bien. Même si j'avais seulement cinq ans quand il est parti. Ça a fait bien de la peine à mon père. S'il avait été encore vivant, il aurait voulu appeler ce bébé André, j'en suis sûr.

J'avais donc, à vingt-trois, une famille de cinq enfants. Je me suis juré que je nourrirais ce nouveau-né au sein assez longtemps pour espacer la famille.

XII

Maintenant que je songe au temps où mes petits grandissaient, il me semble que nous vivions un intermède de paix. Mais une paix qui serait, hélas, interrompue de temps à autre par des malheurs imprévus

La petite Marie-Jeanne était une enfant espiègle et maman me disait qu'elle me ressemblait plus, par le caractère, qu'à sa mère. C'est vrai qu'elle était casse-cou et j'étais toujours inquiète à l'idée qu'elle ait un accident et devienne infirme comme sa mère. Elle suivait les petits garçons et s'amusait plus avec eux qu'avec sa sœur Cécile. Les jeux de petite fille ne semblaient pas l'intéresser. J'avais averti les enfants de venir me le dire s'ils la voyaient entreprendre des choses dangereuses.

Avec tous ces enfants à nourrir, Victor s'était procuré une seconde vache qui s'ajoutait au cheval. Il fallut augmenter la surface cultivée de la terre pour produire plus de foin et d'avoine.

Antonio et Doria, qui étaient devenus des garçons robustes, secondaient leur père. Mais cela faisait passablement de foin à récolter et, comme les garçons étaient encore jeunes (Antonio n'avait que neuf ans et Doria, huit), Victor a décidé d'acheter des instruments aratoires pour se faciliter la tâche. Il s'est procuré une faucheuse tirée par un cheval, éliminant ainsi la nécessité de faucher à la main. Et aussi, pour engranger tout ce foin, une déchargeuse, sorte de grande fourche que l'on piquait dans le foin lorsque les chariots étaient pleins. Tirée par un cheval, cette fourche chargée de foin s'élevait jusqu'au faîte de la grange et, glissant sur un rail, se rendait au-dessus de l'espace spécialement aménagé qu'on appelait la «tasserie». Là, quand on tirait sur le câble attaché à cette fourche, les dents de métal retenant le foin s'ouvraient et le foin tombait dans la tasserie.

Un jour, Cécile vint me dire que Marie-Jeanne était dans la grange. J'y suis accourue et suis arrivée juste à temps pour voir la petite, qui n'avait alors que cinq ans, s'élever sur la fourche qu'Antonio tirait vers le haut. Je n'ai pas osé crier, de peur qu'il ne la laisse tomber, mais je l'ai saisi aux épaules et lui ai dit à l'oreille :

– Fais-la redescendre, tout doucement.

Le cœur me battait. Je voyais la petite tomber de si haut et se tuer. Heureusement qu'Antonio était d'un naturel plutôt calme. Il l'a fait redescendre doucement, malgré les protestations de la petite qui aurait voulu monter encore plus haut. J'ai saisi Marie-Jeanne et je l'ai portée à la maison, où je lui ai servi une sévère semonce, à elle et aux garçons, et les ai tous mis en pénitence.

– Mais c'est elle qui a voulu monter, protesta Antonio, indigné.

– Je n'en doute pas. Mais tu es un grand garçon, donc plus raisonnable qu'elle. Tu sais ce qui serait arrivé si elle était tombée? Pense à ça, la prochaine fois.

Quant à Dollard, mon aîné, il était de constitution plutôt frêle, et allait passer ses vacances chez un cousin de Victor, qui n'avait pas d'enfant. Là, le travail était moins dur, puisque ce cousin se spécialisait dans les légumes et les petits fruits. D'ailleurs, Dollard adorait sa tante Germaine et avait toujours hâte d'arriver aux vacances d'été.

Quand Dollard a eu atteint ses douze ans et fini l'école primaire, Victor est allé parler au curé pour voir s'il n'y aurait pas possibilité de l'envoyer au séminaire puisqu'il réussissait bien à l'école. Comme m'avait dit Victor, celui-là n'aurait probablement pas la robustesse pour devenir cultivateur, alors mieux valait qu'il ait de l'éducation. Encore mieux s'il devenait curé.

Qu'un fils de la paroisse devienne prêtre avait été longtemps le rêve du curé Tremblay. Il n'a pas tardé à faire les démarches nécessaires pour que Dollard soit admis au séminaire en septembre. Les deux premières années ont été pour Dollard un beau succès. Ses notes étaient bonnes et dans ses lettres il se disait heureux.

Durant les vacances d'été, il allait chez son oncle Donat, comme d'habitude. Cette année-là, il y avait une nouveauté. Mon cousin s'était acheté une paire de chevaux pour pouvoir transporter ses produits à Ormston afin qu'ils soient amenés par le train à Sherbrooke où il avait établi un marché. Dollard, tout heureux, avait demandé à son oncle d'atteler les chevaux lui-même et de conduire la charge jusqu'au train.

Je reprocherai toujours à Donat de n'avoir pas vérifié les harnais avant le départ. Tout s'est bien passé jusqu'à ce que Dollard arrive à ce qu'on appelait la grande côte. Quand Dollard voulut faire ralentir les chevaux, il s'est aperçu que le montant de la bride était mêlé avec la courroie du poitrail et qu'il ne pouvait retenir l'attelage. La voiture a descendu la côte à vive allure et, comme elle arrivait en bas, l'une des roues a heurté une grosse pierre sur le bord du chemin. Dollard fut éjecté du véhicule et sa tête a frappé violemment la pierre.

Non loin de là, un cultivateur travaillait dans son champ avec ses fils. Ils ont été témoins de l'accident. Le cultivareur a transporté Dollard chez lui, tandis que ses fils récupéraient les chevaux et la voiture.

Vers trois heures de l'après-midi j'ai vu arriver le lugubre cortège. Mon fils était étendu sur un matelas dans le fond de la voiture. Il avait un pansement sommaire autour de la tête et j'ai vu avec horreur que le pansement était taché de sang. Dollard avait les yeux fermés et semblait respirer à peine.

– Va vite chercher le docteur Robert, ai-je crié à Victor.

Pendant son absence, j'humectais les lèvres de Dollard, n'osant faire autre chose. Les enfants étaient très sages, groupés autour du lit en silence, sidérés par ce spectacle.

Lorsqu'enfin le docteur Robert est arrivé, il a enlevé le pansement, et c'est alors que j'ai vu la plaie sur le crâne de mon pauvre fils. Il a soulevé les paupières, pris le pouls, puis il m'a demandé ce qui était arrivé. Je lui ai raconté ce que je savais. Il a constaté que Dollard avait une fracture du crâne et qu'il n'y avait malheureusement aucun remède.

– Je regrette de ne pouvoir accomplir de miracles. Voilà deux fois que vous m'appelez, mais pour des cas désespérés. C'est vraiment triste, mais il n'y a rien à faire d'autre que ce que vous faisiez en m'attendant, c'est-à-dire lui donner le plus de confort possible et lui humecter les lèvres. Je ne crois pas qu'il reprenne connaissance, mais je repasserai demain.

Il a tenu promesse. Il est arrivé juste à temps pour signer le certificat de décès.

Il y a quelque chose d'inacceptable pour un parent dans le fait de voir mourir son enfant. J'aurais dû me compter chanceuse de n'en avoir pas déjà perdu car, en ce temps-là, les enfants mouraient de diphtérie, de rougeole et d'autres maladies contagieuses. La plupart des familles nombreuses avaient déjà des membres au cimetière. Cela ne m'a pas rendu la résignation plus facile, comme m'y exhortait le curé : « Quand vous aurez un autre enfant, vous oublierez plus facilement celui-ci. »

Est-ce qu'on pouvait remplacer un enfant par un autre, comme certaines veuves remplacent un mari défunt !

Après la naissance d'André, je m'étais dit que je le nourrirais assez longtemps pour m'assurer qu'il n'y aurait pas d'autre bébé qui suivrait trop tôt. J'entendais jouir de cet enfant et, pour ce faire, avoir du temps à lui consacrer.

Une surprise m'attendait. J'ai eu la visite de Cécile dont le père était décédé subitement. Elle était venue du Massachusetts pour les funérailles. Après plus de huit ans de mariage, elle n'avait que deux enfants, sa fille Margaret et un fils, Kevin. J'en profitai pour lui demander son secret. En entendant ce qu'elle m'a révélé, je me suis dit que je n'aurais aucune chance d'en persuader Victor. Obéissant comme il était, il irait consulter le curé, et je savais bien comment celui-ci réagirait. Seulement, elle m'a donné un tuyau. Puisque mon cycle était très régulier, je devrais m'arranger pour que Victor se contente des derniers jours avant les règles. Bien que cela l'ait surpris, il voulait tellement me faire plaisir qu'il y a consenti. C'est ainsi que je suis parvenue à trente ans sans avoir d'autre enfant. Cela inquiétait évidemment le curé, qui me demandait, à la confesse, avant de me donner l'absolution, si j'empêchais la famille.

– Priez, me disait-il, pour que Dieu continue à bénir votre ménage.

Mes prières n'allaient pas tout à fait dans le sens préconisé par lui...

Cependant, quand j'ai atteint mes trente ans, en 1907, je dus me rendre à l'évidence : j'étais bel et bien enceinte. Ce qui m'inquiétait c'était que cette grossesse était bien différente des autres. Je continuais à souffrir de nausées et, au quatrième mois, j'étais grosse comme à six. Je me demandais avec inquiétude si je n'étais pas punie pour avoir menti au curé. Aussi ai-je demandé de nouveau à Victor d'aller quérir le docteur Robert. Je n'avais jamais auparavant demandé à être assistée par un médecin. Comme le seul disponible quand Dollard est né était le docteur Prévost, que je considérais secrètement comme responsable de l'infirmité de ma sœur Jeanne, je préférais faire appel à ma voisine, Madame Boisclair, la sage-femme attitrée du village, mais que l'on ne jugeait pas tout à fait convenable puisqu'elle avait du sang indien. Surtout pour quelqu'un comme moi, qui étais la femme du propriétaire du magasin général, c'était presque impensable. J'avais résisté à toutes les supplications de ma belle-mère et de ma mère. J'aimais bien Madame Boisclair. Elle me faisait boire une tisane qu'elle préparait avec des herbes qu'elle allait cueillir dans les champs et les bois, et tout se passait très bien. Certainement mieux que ce n'avait été le cas pour ma pauvre sœur Jeanne.

Cette fois-ci, donc, puisqu'il y avait maintenant un autre médecin, j'ai demandé le docteur Robert. Victor, tout content, ne s'est pas fait prier. Quand le médecin est arrivé, il m'a auscultée et après m'avoir posé quelques questions, il m'a dit avec un grand sourire :

– Je vous ai reproché de me faire demander seulement pour des cas désespérés. Enfin, je puis vous donner de bonnes nouvelles. Je crois que vous avez une grossesse tout à fait normale, excepté que vous allez avoir des jumeaux. J'entends distinctement deux cœurs.

Victor fut ravi d'apprendre cette nouvelle. Au moment de la naissance, il est de nouveau allé chercher le docteur Robert. C'est ainsi que sont nés deux garçons assez vigoureux, baptisés Auguste et Augustin.

Maman, qui était venue pour la circonstance (même si elle continuait parfois à maugréer contre ce docteur Robert, ce mécréant qui n'allait jamais à la messe), a été porteuse au baptême. Elle était de toute évidence bien fière de ses nouveaux petits-fils.

Le docteur Robert, qui était repassé trois semaines après leur naissance, me confirma que les deux bébés étaient en bonne santé, et moi aussi. Il m'a confié que, souvent, les femmes qui donnent naissance à des jumeaux après trente ans, n'ont pas d'autres enfants. Cette nouvelle ne m'a pas déçue, surtout que maintenant ma famille avait augmenté à sept enfants.

Je me suis remise en un temps record, et j'ai dû concéder au curé que maintenant j'étais tellement occupée par mes deux bébés que même si je n'oublierais jamais Dollard, mon premier-né, j'avais moins de temps pour penser à lui.

Nous avons alors entamé une plage de paix qui devait durer assez longtemps. Quand André a atteint ses douze ans, j'ai suggéré à Victor d'aller s'enquérir auprès du curé s'il ne pouvait pas faire admettre cet enfant au séminaire. Le curé Tremblay en a été tout heureux, et s'il avait pu prédire l'avenir, il l'aurait été encore plus.

XIII

Ce bonheur paisible a duré jusqu'à ce que les jumeaux atteignent leur septième année, en 1914. Pourtant, cette année n'avait pas trop mal commencé.

Comme Victor savait que cela me faisait plaisir, lorsqu'il se rendait à Montréal pour ses affaires, il ne manquait jamais de m'apporter un journal, ordinairement *La Presse*, à laquelle il avait fini par s'abonner. Depuis quelques mois, il m'apportait aussi *Le Devoir*, le journal de M. Henri Bourassa. Je trouvais qu'on parlait beaucoup de l'éventualité d'une guerre. Je me souvenais de la guerre des Boers en Afrique. Mais en ce temps-là, mes garçons étaient petits. S'il fallait qu'il y ait maintenant une guerre ! Antonio aurait dix-sept ans en avril, et Doria seize ans en juin. Se pourrait-il que la guerre dure assez longtemps pour qu'ils atteignent tous deux dix-huit ans ? Je me souviens de ce vendredi sept août (comme le journal venait par le courrier, il avait un jour ou deux de retard), où je lus en gros titre dans *La Presse* : « La guerre est déclarée ». Dans les jours qui ont suivi, on a appris que le gouverneur général avait adressé au roi une dépêche affirmant que « du Pacifique à l'Atlantique, le Canada était uni dans sa détermination à maintenir l'honneur et les traditions de notre Empire ». La réponse ne s'est pas fait attendre. Dès le lendemain, l'offre d'un contingent militaire était acceptée, et on suggérait que celui-ci soit constitué d'une division d'environ vingt-deux mille cinq cents hommes.

Il semble que cette déclaration ait été accueillie avec enthousiasme partout, même au Québec. Les journaux reproduisaient les drapeaux entrecroisés de la Grande-Bretagne et de la France. Au prône du 27 septembre, le curé nous a lu une lettre pastorale de NN. SS. les archevêques et ecclésiastiques du Québec, Montréal et Ottawa, sur les devoirs des catholiques dans cette guerre, et dans laquelle ils rappelaient la loyauté due à la Grande-Bretagne parce qu'elle avait protégé nos libertés et notre foi.

Le 30 septembre 1915, la formation d'un bataillon réservé aux Canadiens français, le 22e Régiment, faisait la manchette de *La Presse*. Dorénavant, il y aurait une rubrique quotidienne dans ce journal consacrée au 22e Régiment. À la mi-octobre, les effectifs du bataillon s'élevaient à soixante-cinq officiers et mille cent hommes de troupe. On lisait régulièrement des reportages détaillés sur des visites aux quartiers régimentaires, et presque tous les jours il y avait des photos des officiers et des hommes du 22e.

Antonio, qui suivait les nouvelles du 22e Régiment avec beaucoup d'intérêt, m'a dit un jour :

– Maman, j'ai grandement envie d'aller m'enrôler dans le 22e Régiment. Qu'est-ce que vous en pensez? Puisque je vais avoir mes dix-huit ans en avril, peut-être me prendraient-ils maintenant.

– Antonio Marcellan! Je te le défends absolument! Tu penses pas que j'ai eu assez de peine quand j'ai perdu Dollard pour avoir à m'inquiéter maintenant de savoir mon deuxième fils à la guerre, exposé à se faire tuer d'un jour à l'autre? Je veux que tu me promettes de ne jamais faire une chose pareille. Tu promets?

– Mais oui, maman. De toute façon je n'ai pas l'âge encore, et il faudrait que papa signe pour que ma demande soit acceptée.

– Je vais prier pour que d'ici avril la guerre soit finie.

J'étais sincère. Il me semblait tout à fait impossible que la guerre continue jusqu'à avril 1916.

XIV

Antonio, qui continuait à suivre les nouvelles avec beaucoup d'intérêt, m'a dit un jour :

– Maman, je ne sais vraiment pas pourquoi vous m'avez défendu d'aller m'enrôler dans le 22e Régiment. Monsieur Laurier vient de répéter qu'il n'y aura pas de conscription pour service hors du pays. Alors, qu'est-ce que je risque?

– Mon Dieu, Antonio, tu devrais savoir que les promesses des politiciens souvent ne sont pas tenues. Et puis, je crois que M. Laurier est sincère, mais il n'est pas le seul à décider. Le mieux, c'est encore d'espérer que cette guerre ne durera pas longtemps.

Aussi, quand à Noël Antonio nous a annoncé qu'il avait décidé, avec son ami Louis Brault, d'aller travailler dans les chantiers de la Megalloway, je n'ai pas osé répliquer, même si c'était parfois dangereux. Au moins, ce n'était pas la guerre.

– Certainement pas, a objecté son père. Si tu veux gagner un peu d'argent, reste avec moi et nous irons préparer des plançons de saule que nous pourrons vendre aux Écossais d'Ormston.

Mais Antonio était aventureux et préférait changer d'horizon. Alors, avec Louis, il s'est préparé à partir. J'étais un peu inquiète, car il se produisait souvent des accidents dans les chantiers.

– Tu vas faire très attention. Tu ne prendras pas de risques, n'est-ce pas?

– Mais non, maman. Nous ne partons pas pour la drave. C'est juste question d'abattage de bois et d'ébranchage.

Ils sont partis de bonne heure le matin. Victor les a conduits avec la Grise et le traîneau jusqu'à la route pour le Maine. De là, ils devaient se rendre en raquettes à travers bois.

Le départ d'Antonio a laissé un grand vide dans la maison. Doria, qui allait avoir seize ans au mois de juin, se morfondait sans son frère. Il travaillait au magasin, remplaçant Victor, en alternance avec sa sœur Cécile qui avait maintenant quinze ans. La grand-mère Marcellan travaillait de moins en moins. Elle vieillissait à vue d'œil. Les trois autres, Marie-Jeanne et les jumeaux fréquentaient l'école du village.

Antonio est revenu fin mars. Il avait bien des aventures à nous raconter :

– Vous savez, son père, quand on vous a laissé à la route du Maine, juste avant d'être rendus à la frontière, on est arrivés au camp d'un jobbeur de la Beauce et il nous a offert du travail en nous disant qu'il avait un contrat dans le Maine. Il faut dire que son camp n'était pas trop ragoûtant, ni la nourriture bien bonne, mais comme on avait hâte de commencer à travailler, on a accepté. Il m'a dit que moi, je conduirais Girl, une grosse jument, pour *skidder*. Ce que je devais faire était de me lever à quatre heures tous les matins pour aller soigner Girl (ce qui suffisait pour me la faire détester). D'ailleurs Girl me le rendait bien et ne manquait jamais une occasion de m'envoyer un bon coup de patte si elle me sentait derrière elle. Ensuite, il fallait la conduire toute la journée pour traîner les billots et les mettre en piles le long du chemin. J'y ai travaillé une semaine avant d'apprendre qu'à quelques milles de là il y avait un beau grand camp de la compagnie principale. Le dimanche suivant on est allés visiter ce camp. Mon Dieu, quelle différence! Il y avait là une vraie cuisine qui servait de bons repas. Alors, on est allés tout de suite voir le foreman pour lui demander s'il nous engagerait. Il nous a dit oui. On est retournés chez le jobbeur pour lui dire la nouvelle et aller chercher nos effets, au grand désespoir du Beauceron qui voyait partir ses employés. Le lundi matin, on était prêts à travailler au nouveau camp.

D'abord le contremaître nous a mis à l'ébranchage. C'était l'ouvrage des jeunes. On était payé deux dollards cinquante par jour. Les vieux *lumber jacks*, eux, travaillaient deux par deux à l'abattage, et ils étaient payés quatre dollards du mille pieds.

Un bon jour, le plus âgé et le meilleur d'entre eux est tombé malade. Son compagnon est venu voir parmi les jeunes s'il ne pouvait pas se trouver un remplaçant. Il est tombé sur moi, j'imagine parce que j'étais plus grand et plus costaud que les autres. Il est venu me demander si j'étais prêt à travailler avec lui, me disant que je serais de moitié pour l'argent. Je lui ai répondu que je n'étais pas un homme de métier comme son ancien compagnon, mais que j'en parlerais au contremaître et que je lui rendrais réponse.

Le contremaître m'a dit que j'allais m'apercevoir que c'était pas un homme commode, mais de faire comme bon me semblerait.

– Si ça marche pas, me reprendrez-vous dans mon ancien travail?

– Oui, m'a-t-il répondu. Allez travailler avec Blackie et si vous pouvez pas l'endurer, je vous redonnerai votre ancien travail.

Alors j'ai annoncé à Blackie que j'acceptais.

– D'abord, m'a-t-il dit, tu vas venir tourner la meule pour que j'affile ma hache.

C'était dur de tourner cette meule, car il pesait sur le taillant. Cependant, il n'avait rien qu'un côté à affiler. L'autre taillant, c'était seulement pour couper les nœuds. Le taillant pour abattre, il faut qu'il coupe comme un rasoir.

Quand la journée a été finie, et surtout quand je me suis couché pour dormir, je me suis rendu compte que j'allais mériter mon salaire.

Le lendemain, il m'a dit :

– Le vent est juste bon pour abattre les grosses épinettes.

En arrivant dans la forêt, il a marqué trois épinettes d'un coup de hache, puis il a indiqué celle qu'il me réservait. Je me suis mis à l'œuvre et, quoique je me sois dépêché de mon mieux, il avançait le double plus vite que moi. Tout à coup, je l'ai entendu sacrer de façon tellement enragée que mon chapeau se soulevait sur ma tête. Il passait l'un après l'autre tous les saints du paradis et tous les objets sur l'autel. Tout à coup, Blackie m'a regardé :

– T'as pas l'air à aimer ça, entendre sacrer?

– C'est que ma mère n'a jamais permis que l'on prononce ces mots-là devant elle. Même mon père au magasin ne permet pas ça. Je vous l'avais dit que j'étais pas un homme de métier. Alors, si c'est moi qui vous fais sacrer comme ça, dites-le-moi et je vais retourner au camp retrouver mon ancien travail.

– Mais non, Tony, c'est pas toi, c'est moi. Je me suis trompé de taillant et j'ai ébréché mon beau taillant si coupant. Alors, reste avec moi.

Quand j'ai entendu ça, j'aurais presque eu envie de répéter moi-même les mots défendus, parce que j'ai compris tout de suite que j'aurais à tourner la meule pendant tout un jour pour qu'il obtienne de nouveau un taillant «comme un rasoir».

J'ai continué avec lui jusqu'à ce qu'il tombe malade à son tour, alors j'ai dû retourner travailler à gages. Mais pendant que je travaillais avec Blackie, au lieu de deux dollars cinquante par jour, je me faisais jusqu'à huit dollars par jour.

– Voilà, papa, ce que j'ai gagné cet hiver, ai-je dit en lui remettant mon enveloppe de paie.

– Eh bien, c'est une bonne somme que t'as gagnée là, mon garçon. Tiens, garde ces billets pour tes dépenses.

Antonio n'a pas reparlé d'aller s'enrôler dans le 22e Régiment. D'ailleurs, le ton avait changé dans les journaux, surtout dans *Le Devoir*. La liste des tués au front s'allongeait de jour en jour. En janvier 1917, il y a eu un programme de Service national et des cartes d'enregistrement ont été envoyées à tous les hommes. Mgr Bruchési, archévêque de Montréal, a pour sa part déclaré qu'il signerait lui-même sa carte du Service national, pressant tous les prêtres et les citoyens dans leur ensemble, de suivre son exemple. Seul *Le Devoir* disait en toute lettres que le Service national n'était que le paravent conduisant à l'éventuelle adoption de la conscription.

Ni Antonio ni Doria ne remplirent leur carte de Service national. Même qu'Antonio, ayant lu dans *Le Devoir* qu'Armand Lavergne venait donner un discours à Sherbrooke, a pris le train à Ormston et s'y est rendu. À son retour, il m'a dit :

– Vous vous souvenez, Maman, que vous m'avez fait promettre de ne pas m'enrôler dans le 22e. Je peux vous dire aujourd'hui que même si le gouvernement vote la loi de la conscription, je n'irai pas.

– Qu'est-ce que tu vas faire?

– Je pense encore au premier camp où nous avons travaillé, Louis et moi. Je suis sûr qu'il existe encore. Alors je vais partir avec Doria et on va rester là jusqu'à la fin de la guerre. Monsieur Lavergne nous l'a dit : «Les Anglais ont bien du front de nous dire de nous enrôler pour aller défendre la France et la culture française, alors qu'ils font tout pour la détruire ici au Canada, au Manitoba d'abord, et maintenant en Ontario».

– Je peux pas croire qu'ils vont voter la conscription. Ça fait assez de fois que Borden, le premier ministre, nous promet qu'il n'y aura pas de conscription. Surtout maintenant que les États-Unis sont entrés en guerre, ça va hâter la fin.

– Bon, j'vais attendre. Mais si on en vient là, vous savez ce que j'vais faire.

Pendant ce temps-là, je me disais qu'heureusement André était au séminaire. Même si la conscription était passée, il ne serait pas appelé. Quand j'y pense aujourd'hui, je me demande encore si ce qui est arrivé était une punition parce que je l'aimais plus que les autres enfants. Pourtant, je n'avais pas conscience de l'aimer plus.

Les journaux ont rapporté que lors de son retour d'Angleterre, en mai 1917, Borden s'était solennellement adressé à la Chambre des Communes pour dire qu'il avait décidé, vu la situation en Europe, où les Allemands avaient envoyé un million de soldats sur le champ de bataille, de déposer une loi de la conscription. Il a ajouté qu'il croyait sincèrement que la bataille pour la liberté du Canada se livrait dans les plaines de France et des Flandres et que le moment était venu d'invoquer l'autorité de l'État pour envoyer des renforts aux hommes valeureux qui défendaient cette liberté.

Pour assurer la survie de son gouvernement, disait-on, Borden tentait de former une coalition et avait, le 29 mai, envoyé à Sir Wilfrid Laurier une invitation à se joindre à lui pour former un cabinet de coalition. Après une semaine de réflexion, Laurier a exprimé le regret de n'avoir pas été consulté avant le dépôt de la loi de la conscription. Il ajoutait qu'accepter cette proposition équivaudrait à renier les principes de toute une vie, lui qui avait toujours été opposé à la contrainte. De plus, il refusait absolument de prolonger le mandat du gouvernement d'une autre année. Que le gouvernement de coalition se soumette à une élection générale comme prévu, et l'on verrait bien si la population approuvait son geste.

Ainsi, notait le chroniqueur, les élections générales auraient lieu à la mi-décembre 1917, conformément aux délais normaux. La loi de la conscription a reçu l'assentiment du gouverneur général le 29 août 1917. Un amendement adopté par le Sénat, qui annulait l'exemption des étudiants en théologie, a valu au gouvernement les foudres du cardinal Bégin qui n'a pas hésité à affirmer que la proposition d'assujettir les ecclésiastiques, les frères convers et les membres des noviciats catholiques à l'obligation de faire le service militaire constituait une grave atteinte aux droits de l'Église et que tout bon ecclésiastique devrait s'y opposer.

Cette nouvelle m'a remplie de nouveau de terreur. Qu'arriverait-il à André qui avait atteint dix-sept ans en mars de cette année? Je sentais l'étau se resserrer.

XV

Il me restait un espoir, celui que Sir Wilfrid Laurier soit de nouveau élu puisqu'il promettait de ne jamais faire voter la conscription. Borden lui-même acceptait de retarder l'application de la loi de la conscription jusqu'après l'élection générale qui avait été fixée au 17 décembre 1917. Les premiers conscrits seraient appelés au début de janvier, écrivait-on dans les journaux.

Ce soir de mi-décembre, Cécile et Antonio s'occupaient du magasin tandis que Victor, fumant sa pipe après le repas, lisait son journal. Tout à coup, Antonio a fait irruption dans la pièce.

– Vous êtes mieux de venir, son père. Y a Esdras Paquette pis Alexis Guillemin qui se battent. Même qu'ils ont failli renverser la fournaise.

– Comment! s'est exclamé Victor, se levant en vitesse pour entrer au magasin.

D'un coup d'œil, il a pu juger de la situation. Les deux hommes échangeaient des coups de poings, s'accusant réciproquement d'être un vendu à Borden et un adversaire de Laurier tandis qu'une cascade de sacres fusaient.

Très calmement, Victor a demandé à Cécile de s'en aller de l'autre côté.

– Va retrouver ta mère et ferme la porte, a-t-il dit, tandis qu'il s'approchait des deux combattants. « C'est assez, vous autres. Pas de sacrage ni de bataille dans ce magasin-icitte», a-t-il dit en les empoignant par le collet et en les séparant de force. Mais Paquette refusait de s'avouer vaincu et, se tournant, il a essayé d'atteindre Victor d'un coup de poing au visage. Heureusement que mon mari était plus grand qu'eux. Il a écarté les bras puis il a heurté les deux têtes ensemble si fort que les deux hommes, assommés, se sont effrondrés comme des pantins.

– Ouvre-moi la porte de dehors, Antonio, et tiens-la ouverte.

Antonio s'est empressé d'obéir à son père. Celui-ci, traînant les deux hommes, s'est avancé sur le perron et les a lancés dans un banc de neige. Puis il est rentré dans le magasin et, revenant dans la maison, a rallumé sa pipe et s'est remis à lire le journal. Comment se fait-il qu'un homme comme lui, si fort, soit mort subitement, alors qu'il se penchait pour lacer ses chaussures? C'est là un mystère que je ne comprendrai jamais.

Les journaux avaient rapporté qu'au cours des derniers mois de la session, malgré la vive opposition libérale, le gouvernement Borden avait réussi à faire adopter le projet de loi sur les élections en temps de guerre, lequel accordait le droit de vote aux femmes apparentées aux membres du Corps expéditionnaire canadien et aux femmes œuvrant dans les industries de guerre. De plus, les Canadiens naturalisés, nés en pays ennemis ou qui avaient vu le jour dans des pays de langue allemande, perdaient le droit de vote. Il semblait que cette élection avait été bien cuisinée pour produire le résultat désiré.

André est venu pour les vacances de Noël. Grâce à une permission spéciale de l'évêque, il recevrait les ordres mineurs en janvier, afin d'être à l'abri de la conscription, nouvelle qui m'a enlevé un poids de sur le coeur.

Aussitôt le Jour de l'An passé, Antonio et Doria ont pris le chemin du camp près de la frontière. André les a accompagnés afin de se rendre compte de ce dont ils auraient besoin pour vivre là-bas. Il est ensuite parti pour le séminaire et les deux autres garçons ont fait plusieurs voyages pour apporter le nécessaire J'étais contente de les savoir à l'abri des troubles qui se manifestaient un peu partout dans la province. L'agitation a culminé durant les émeutes qui ont ensanglanté la ville de Québec, la fin de semaine de Pâques. Elles ne se terminèrent que le 1er avril, après l'intervention de l'armée, alors qu'on a dénombré quatre morts et un grand nombre de blessés. Chacun a eu l'impression que les champs de bataille s'étaient déplacés d'Europe au Canada.

Au cours du mois de mars 1918, un grand malaise a suivi l'offensive désespérée de l'armée allemande et, pendant un moment, on s'est demandé si l'Allemagne n'allait pas gagner la guerre. Le curé multipliait les prières spéciales et les offices religieux.

Ce malaise a persisté jusqu'à la libération d'Amiens par les Alliés, le 8 août 1918. Malgré les nombreux deuils qui ont suivi, tout le monde pensait que vraiment cette guerre se terminerait par la victoire des Alliés. Le 22e Régiment se couvrit de gloire mais paya un lourd tribut quant au nombre de victimes. Victor et moi suivions les événements par les journaux. Enfin, le 11 novembre, les Alliés prirent la ville de Mons, là où, en 1914, ils avaient subi leur première défaite, comme le rappelait la presse. L'armistice fut proclamé, et les régiments commencèrent à rentrer au Canada.

Antonio et Doria sont revenus à la maison en février 1919. Je regardais mes deux grands fils qui avaient encore grandi durant cette absence et je ne pouvais m'empêcher de penser avec joie qu'ils avaient échappé au massacre. Je les conserverais donc avec moi.

En mars, Cécile a pris le lit avec une forte grippe. On parlait beaucoup de cette nouvelle grippe qui, apparemment, faisait des victimes. On se disait que c'était des exagérations, qu'il ne devait s'agir que de quelques vieilles personnes, comme cela se produisait chaque hiver. Mais bientôt on a dû se rendre à l'évidence, les décès se multipliaient, même parmi les jeunes. À ce moment, André est revenu chez nous. Les étudiants étaient renvoyés dans leurs foyers du fait de cette épidémie qui se répandait dans le pays.

Cécile était toujours alitée. J'avais fait appeler le Docteur Robert. Il m'avait envoyé un message pour me dire qu'il avait tellement de patients qu'il essaierait de venir avant trop longtemps, mais qu'il n'y avait vraiment pas grand chose à faire, si ce n'était de garder les patients au lit, de leur faire boire beaucoup de liquide, de leur appliquer des mouches de moutarde, comme on faisait avec les vilains rhumes, lorsque les malades avaient de la difficulté à respirer. Puis, deux semaines plus tard, j'ai appris que le Docteur Robert avait dû s'aliter lui aussi et qu'il était mort trois jours plus tard.

Alors la panique s'est emparée de la paroisse. Chacun s'isolait chez soi pour éviter la contagion. Cécile se remettait lentement, puis ce fut Doria qui a pris le lit. Je ne pouvais croire que ce serait sérieux, mais la fièvre montait toujours. Son front était absolument brûlant et il commençait à délirer. Impossible de le faire boire. Tout au plus pouvais-je lui humecter les lèvres. Toute la nuit, je suis restée près de son lit, et au matin il cessa de respirer.

André est venu m'apporter une tasse de thé.

– Vois, lui dis-je avec désespoir, j'ai peur que ton frère ne soit mort.

Il s'est penché et a appliqué son oreille sur la poitrine de Doria, puis il lui a fermé les yeux et a remonté le drap pour lui couvrir le visage.

Alors je me suis abandonnée au chagrin. Était-ce possible que mon fils, qui avait tout juste vingt ans, soit mort?

André mit son bras autour de mes épaules:

– Il faut être courageuse, maman, et vous abandonner à la volonté de Dieu. Tenez, buvez ce thé. C'ést pour vous que je l'avais apporté.

Une soudaine inquiétude m'a saisie :

– Te sens-tu bien André? Ne reste pas près de lui, il ne faudrait pas que tu attrapes cette grippe terrible.

– Ne craignez rien pour moi, maman. Je suis allé voir Cécile et les petits. Ils sont bien aussi. Antonio n'était pas réveillé. Alors je ne l'ai pas dérangé. Papa est debout. Je vais aller préparer le déjeuner pour eux. Venez manger vous aussi, maman. Vous avez besoin de conserver vos forces.

Je me suis efforcée de me rendre à la cuisine. Victor, Marie-Jeanne et les jumeaux étaient assis autour de la table, tandis qu'André cuisinait sur le poêle.

J'ai fait signe à Victor de venir me rejoindre, et l'entraînant dans la chambre, je lui ai montré le cadavre de Doria, tout en éclatant en sanglots.

Il m'a prise dans ses bras, m'a lissé les cheveux :

– Ne pleure pas, Marie-Jolie. Il faut se résigner à la volonté de Dieu.

J'ai remarqué que lui aussi pleurait. Puis il m'a ramenée à la cuisine où André s'affairait à préparer le déjeuner. Les trois plus jeunes étaient autour de la table. J'ai regardé les jumeaux, qui avaient maintenant onze ans, et Marie-Jeanne, qui en aurait dix-huit à l'automne. Il en manquait deux autour de la table : Cécile et Antonio. Je ne pouvais rester à la cuisine avant de savoir si ces deux-là se portaient bien. Je suis entrée dans la chambre de Cécile : elle était assise dans son lit. André lui avait apporté une tasse de thé et des rôties avec des confitures aux fraises.

– Tu te sens bien? lui ai-je demandé.

– Mais oui, maman. Ça va beaucoup mieux.

Je suis ressortie de la chambre sans rien lui dire à propos de Doria. Il me semblait que si je prononçais les mots, cela confirmerait la nouvelle.

Puis je me suis hâtée vers la chambre d'Antonio. Il était encore dans son lit. J'ai posé ma main sur son front. Il était brûlant. Il avait les yeux fermés et respirait bruyamment. J'ai couru à la cuisine et j'ai demandé à Victor de venir. Puis je me suis mise à confectionner une mouche de moutarde. J'avais le cœur comme dans un étau.

Que puis-je dire? J'ai veillé à son chevet pendant trois nuits. La troisième nuit, je suis tombée endormie malgré moi. Quand je me suis réveillée subitement, un grand silence régnait dans la chambre. Alors, j'ai su.

André était allé parler au curé. Il est revenu nous dire que, six personnes étant décédées, par manque de place à l'intérieur, il bénirait les cercueils à la porte de l'église. Il n'y aurait pas de service non plus, seulement cette simple bénédiction. Il a ajouté que le bedeau ne pourrait pas creuser les fosses tout seul, le sol étant encore un peu gelé. Il demandait aux parents des défunts de venir l'aider.

– Tu ne vas pas y aller, n'est-ce pas, André?

– Mais si, maman. Le curé tient à ce que tous les morts soient inhumés et non pas mis dans le charnier, comme on fait d'habitude.

Je me suis alors abandonnée au désespoir. Si seulement cette grippe horrible, que l'on appelait *grippe espagnole*, me prenait aussi...

XVI

Heureusement que le Ciel ne nous accorde pas tout ce que nous demandons sous l'effet du désespoir. Je n'ai pas attrapé cette grippe espagnole, et bientôt (je ne sais si c'était l'effet de l'arrivée du printemps), le nombre de victimes a diminué, non seulement dans notre paroisse mais aussi dans les paroisses avoisinantes. Les jumeaux grandissaient et ni eux, ni Marie-Jeanne, ni André ne furent atteints de la grippe. Il y avait Cécile qui, bien que remise, continuait à tousser comme si elle avait un gros rhume. Sûrement, avec le retour de l'été, ce malaise disparaîtrait, d'autant plus qu'elle était heureuse. Un des jeunes gens de la paroisse la courtisait, et comme c'était un candidat qui avait toute l'approbation de Victor, le père aussi était heureux. Gérard était le fils d'un des plus gros fermiers des environs, même que son père lui avait acheté une ferme bien à lui, voisine de la sienne. Ainsi, lorsque Cécile épouserait Gérard, nous n'aurions pas à craindre qu'elle s'en aille habiter loin de nous.

L'été a commencé, et toujours son rhume persistait. J'avais beau lui appliquer des mouches de moutarde, lui faire prendre des remèdes qu'on disait infaillibles, comme des écailles d'œuf macérées dans du vinaigre avec un peu de brandy, rien n'y faisait. Ah! me disais-je, si seulement mon bon docteur Robert n'était pas décédé... C'est le jour où j'ai vu son mouchoir taché de sang que la panique m'a prise. Comme je refusais absolument qu'elle voie le vieux docteur Prévost, j'ai supplié Victor de la conduire à Sherbrooke pour qu'elle consulte un médecin de l'hôpital.

À leur retour, je me suis aperçue tout de suite à l'air sombre de mon mari, que les nouvelles n'étaient pas bonnes :

– Qu'a-t-il dit?

– Qu'elle devrait faire un séjour au sanatorium.

– Au sanatorium! Pourquoi?

– Parce que, d'après lui, elle fait un début de tuberculose, sans doute une suite de la grippe espagnole.

– Mon doux Jésus! Cette fichue maladie n'arrêtera donc jamais de faire des victimes?

– Mais non, Marie-Jolie, il ne faut pas se décourager. C'est un début seulement.

– À quel sanatorium va-t-elle aller?

– Le médecin m'a dit que le plus près d'ici est celui de Sainte-Agathe. Il va s'occuper de son admission et nous avertira quand elle sera acceptée.

Son mariage avait été fixé au début d'octobre, quand les travaux des récoltes seraient finis.

Cécile est entrée au sanatorium au début d'août, et elle y est restée deux ans. Elle est morte en novembre, deux semaines avant d'avoir atteint sa vingtième année. Il me restait donc quatre enfants.

Tous ces deuils, mon Dieu! Je n'aurais jamais imaginé cela dans le train qui me ramenait de Springfield, en 1895, tout heureuse à la pensée que j'allais épouser Victor Marcellan.

André était au grand séminaire et devait être ordonné prêtre en 1924. Marie-Jeanne, mon espiègle, avait échappé aux accidents et devenait une grande jeune fille. Dieu merci, elle ressemblait à sa mère, dont elle avait hérité le visage ovale et classique, les yeux sombres et les cheveux noirs, brillants et ondulés, et rien de son père. D'ailleurs, elle portait notre nom, puisque Victor l'avait adoptée devant notaire, alors qu'elle était bébé et avait forcé Léonard, son père, à venir signer. À cette époque-là, il était bien content de s'en débarrasser, car il avait trouvé une autre femme à épouser. Celle-là n'était pas infirme, mais elle avait les yeux croches.

Victor avait pu payer à Marie-Jeanne deux années de pensionnat à Sherbrooke et elle nous reviendrait en juin, avec son diplôme d'institutrice. Elle n'aurait pas de difficulté à se trouver une école où enseigner, car le président de la Commission scolaire de l'école du deuxième rang était déjà venu parler à Victor pour retenir ses services. Les jours de classe, elle demeurerait à son école, mais viendrait chez nous pour la fin de semaine. Victor ne voulait pas qu'elle reste seule dans cette petite école isolée, loin des voisins. Il connaissait trop les habitudes de certains jeunes gens qui trouvaient drôle d'aller faire un charivari autour des écoles de campagnes, histoire de faire peur aux maîtresses, surtout quand c'était de jeunes débutantes. Il avait alors décidé que les jumeaux habiteraient avec leur sœur et fréquenteraient sa classe. Cela n'a pas eu l'air de leur plaire beaucoup, car ils espéraient cesser l'école cette année-là et aller travailler, puisqu'ils avaient seize ans. Ils étaient grands et forts, tous deux blonds aux yeux bleus, et même s'ils n'étaient pas là l'année suivante, on avait tout lieu d'espérer qu'alors il y aurait une place pour Marie-Jeanne à l'école du village.

En fait, il était inutile pour moi de m'inquiéter de l'avenir. J'aurais dû savoir que rien ne se produit comme on s'y attend.

L'inspecteur des écoles était un jeune homme qui venu remplacer celui qui était en fonctions depuis plusieurs années et qui avait pris sa retraite. Il s'appelait François Lacroix, Il a dit à Marie-Jeanne, qui en était à sa première année d'enseignement, qu'il se faisait un devoir de visiter les écoles des débutantes pour voir à ce qu'elles démarrent de la bonne façon, mais il l'a rassurée en lui déclarant qu'elle semblait conduire sa classe de façon tout à fait exemplaire. Comme son inspection avait lieu un vendredi, il a proposé de la re-conduire chez elle avec ses frères, puisqu'il avait une automobile, luxe qu'on ne voyait pas souvent dans nos petits villages de campagne, proposition qui a rendu les jumeaux fous de joie. Lorsqu'elle l'a fait entrer pour nous le présenter, je me suis vite aperçue que ce n'était pas uniquement le dévouement académique qui le poussait à visiter de nouveau l'école du deuxième rang. Je l'ai invité à partager notre repas, et il ne s'est pas fait prier pour accepter.

C'est cette année-là que notre bon vieux curé est décédé et a été remplacé par un jeune prêtre, qui est arrivé avec sa sœur aînée pour lui servir de ménagère. Cette dame s'appelait Ernestine. Elle voguait dans la quarantaine avancée, et elle était d'une dignité parfaite et d'un dévouement à toute épreuve. Le matin, chaque fois que son frère devait célébrer une grand'messe, elle était là et chantait sans accompagnement. Elle n'avait qu'un trait vraiment commun, qui était bien innocent : elle déversait toute son affection de vieille fille sur son petit chien, un toutou tout blanc, de race incertaine, qu'elle appelait Bijou. C'est pourquoi j'ai été en colère quand j'ai appris le tour pendable que les jumeaux avaient joué à une si bonne personne.

C'était durant les vacances de Pâques et la sève d'érable coulait abondamment. Ils allaient aider leur cousin Donat à faire le sirop d'érable à sa cabane à sucre.

Quand ils revenaient à la maison, ils nous apportaient du produit de leur labeur : sirop, sucre et tire. Il semble qu'ils aient pris en douce un surplus de tire qu'ils n'avaient pas déclarée, ce qui prouvait qu'il y avait eu préméditation, comme a dit le curé quand il est venu nous mettre au courant. Ils avaient pris une grosse poignée de tire qu'ils avaient enfoncée dans la gueule du pauvre Bijou en lui refermant les mâchoires pour qu'il ait les dents engluées dans cette masse collante. Le petit chien, une fois relâché, s'était enfui vers le presbytère et avait gratté à la porte, puisqu'il ne pouvait ni aboyer ni communiquer d'une autre façon. Quand Mademoiselle Ernestine, qui commençait à s'inquiéter de l'absence de son chéri, avait ouvert la porte, elle avait été horrifiée de voir Bijou la gueule dans un si piteux état. Le chien s'était précipité dans le salon, laissant couler des ruisseaux de bave collante sur les tapis crochetés à la main de Mademoiselle Ernestine, et lorsqu'elle-même, se sentant mal, s'était laissée tomber sur une chaise, il lui avait sauté sur les genoux, avec le résultat qu'on peut imaginer sur le beau tablier blanc brodé et empesé qu'elle portait toujours sur sa robe.

Le curé, attiré par les lamentations qu'il entendait en provenance du salon, l'avait trouvée en cet état, et allant au secours de Bijou, il était parvenu à lui arracher le gros morceau de tire de la gueule, avec dégâts semblables sur sa soutane. Il avait su tout de suite que cette farce était l'œuvre de gamins du village et était parti à la recherche du ou des coupables.

Le crime des jumeaux avait eu des témoins qui s'étaient empressés de renseigner le curé. Aussi avait-il trouvé une oreille accueillante chez Victor d'abord, et ensuite chez moi. Victor avait amené les jumeaux dans la remise et leur avait appliqué une sérieuse correction avec une hart d'aune, après quoi il les avait envoyés au lit sans souper. Ils avaient cependant dû auparavant aller demander pardon, accompagnés de leur père, à Mademoiselle Ernestine et au curé.

XVII

Je n'ai pas de difficulté à me souvenir à quelle date les jumeaux ont décidé de partir pour le Nouvel-Ontario, puisque c'est l'année avant qu'André soit ordonné prêtre, c'est-à-dire en 1923. Depuis le 13 juin, les jumeaux avaient vingt ans. Déjà ils avaient quitté la maison l'hiver précédent pour aller travailler dans les chantiers des alentours. Maintenant que Marie-Jeanne enseignait au village et demeurait chez nous, ils n'avaient plus à l'accompagner.

Les amours de Marie-Jeanne continuaient avec le jeune inspecteur, François Lacroix. Elle en était très fière, puisqu'elle était la seule du village dont le soupirant venait en automobile depuis Sherbrooke. Il avait même changé d'automobile : maintenant il conduisait une *Star* décapotable. Ils s'étaient fiancés à Noël, mais d'un commun accord ils avaient décidé d'attendre qu'André soit ordonné prêtre pour qu'il puisse bénir leur mariage, ce qui ferait une double célébration.

L'ami le plus proche des jumeaux était notre voisin, Jérémie Boisclair, le fils de la femme qui m'avait servi de sage-femme jusqu'à leur naissance. Ce Jérémie avait un oncle qui habitait le Nouvel-Ontario et qui avait écrit à leur père que, l'année précédente, la ville de Haileybury avait brûlé dans l'un de ces feux de forêt qui étaient le fléau des régions du nord. Il n'y avait pas eu trop de pertes de vie, car la population s'était réfugiée dans les eaux peu profondes des bords du grand lac Témiscamingue. Maintenant, il fallait tout rebâtir, et comme l'oncle Boisclair était entrepreneur en construction, il avait demandé à son neveu de venir l'aider, car il avait plus de travail qu'il n'en pouvait faire. Jérémie avait aussitôt répondu qu'il voulait bien, mais que puisqu'il y avait tant de travail, il demandait s'il pouvait inviter ses deux meilleurs amis à venir avec lui. L'oncle avait acquiescé et les jumeaux, tout enthousiastes, avaient demandé à leur père de leur avancer le prix du voyage en train, disant qu'ils allaient le rembourser dès qu'ils commenceraient à travailler. Je ne pouvais guère m'y opposer, moi qui avais quitté la maison paternelle à seize ans pour aller travailler aux États-Unis. Je regrettais seulement qu'ils partent, alors qu'André allait être ordonné prêtre et leur sœur se marier. Mais je comprenais la nécessité de ce départ, pendant qu'ils avaient du travail assuré. Plus tard, j'en fus bien heureuse.

J'avais fait promettre aux jumeaux de nous écrire dès leur arrivée dans le Nouvel-Ontario. J'avais particulièrement recommandé à Augustin de le faire pour tous les deux. Il avait été le deuxième jumeau à naître et, quoique plus petit qu'Auguste, il avait toujours été des deux celui qui prenait le plus d'initiatives.

De fait, nous avons reçu une lettre d'Augustin nous décrivant leur arrivée dans le Nouvel-Ontario. Le trajet en chemin de fer avait été beaucoup plus long que pour aller aux États-Unis, puisqu'ils avaient dû changer de train à North Bay et qu'il leur avait fallu presque deux jours et une nuit pour s'y rendre. « Quand nous sommes arrivés à la petite ville de Haileybury, nous avons été étonnés de voir l'ampleur de la destruction, écrivait-il.

Tous les bâtiments avaient brûlé et il était facile d'imaginer le travail qu'il y aurait à faire pour remettre tout ça en ordre. Nous avons continué jusqu'à New Liskeard, qui est la place voisine et le lieu où habite l'oncle de Jérémie, Monsieur Ernest Boisclair. Il était bien content de nous voir arriver et nous a demandé de commencer le travail dès le lendemain. Il a une famille de neuf enfants. Le plus vieux s'est marié l'an passé, alors il en reste huit à la maison. Il nous a présentés à une dame qui habite près de chez lui et qui tient une maison de pension. C'est là que nous allons rester. Elle a accepté, sur la recommandation de Monsieur Boisclair, d'attendre notre premier chèque pour recevoir le montant de notre pension.

Alors, vous voyez, maman que vous n'avez pas à vous inquiéter. Je vous enverrai d'autres nouvelles bientôt. Quand nous aurons réglé cette dette, la prochaine paie sera pour papa, pour lui rembourser le billet de chemin de fer. En attendant, si vous voulez m'écrire, notre adresse va être comme suit : a/s de Madame Rémi Fluette, 74 rue Main, New Liskeard, Ontario.

Vos fils, Auguste et Augustin. »

J'ai été soulagée de les savoir entre bonnes mains.

En attendant, il ne restait que Marie-Jeanne à la maison, et pour très peu de temps puisque, à son tour, elle quitterait le foyer l'année suivante. Après, vu que ma belle-mère était décédée subitement deux ans auparavant, nous nous retrouverions tous deux, Victor et moi, au début de la cinquantaine, seuls dans cette maison qui avait connu une telle animation.

Augustin, qui semblait s'être chargé de la correspondance, nous écrivait régulièrement. Le premier été s'était passé dans la construction de résidences. C'était une saison courte, d'après Augustin, car dès la fin de septembre il commençait à y avoir des chutes de neige. Il importait donc de finir l'extérieur des demeures pour que les gens puissent y entrer avant le dur hiver. Quand en octobre la température a continué de baisser, la construction était assez avancée pour qu'ils puissent travailler à l'intérieur. Mais Augustin disait dans sa lettre qu'aussitôt leur contrat terminé, ils allaient faire le voyage jusqu'à Timmins pour se trouver du travail dans les mines, afin d'avoir un salaire toute l'année et un emploi permanent. C'est ce qu'ils ont fait aussitôt après Noël et ils ont réussi à se placer tous les deux. Cela m'énervait un peu de les savoir travailler sous terre. De temps à autre on pouvait lire dans les journaux des récits d'accidents dans les mines. Mais Augustin nous a assurés que tout était moderne et sécuritaire et qu'ils étaient bien prudents.

Au mois de mai, il nous a appris qu'il avait assisté à une fête dans le sous-sol de leur église paroissiale. Il y avait eu une enchère de paniers préparés par de jeunes demoiselles et dont les profits devaient être versés aux œuvres de charité de la paroisse. Il n'y avait pas de noms sur les paniers, mais il était évident que pour plusieurs, les noms des préparatrices étaient très bien connus.

Augustin avait repéré un panier mieux décoré et plus attrayant que les autres. Remarquant que déjà les enchères montaient plus que normalement, il avait résolu d'être le vainqueur, même si cela signifiait que presque toute sa paye devait y passer. Et il l'avait emporté. C'est alors qu'il avait rencontré la personne qui l'avait préparé, puisque le vainqueur pouvait s'attendre à partager le contenu du panier avec la prparatrice pour le goûter de fin de veillée. D'après lui il n'avait pas à regretter d'avoir persévéré.

«Vous auriez dû la voir, maman, écrivait-il, elle était mince, grande et avec le plus attrayant sourire du monde. Elle a de beaux cheveux bruns, soyeux, des yeux noirs et des joues roses. Elle s'appelle Louise Bisson, et pendant que nous mangions elle m'a appris qu'elle avait quatre frères et seulement une sœur d'un an plus jeune qu'elle, qui s'appelle Maria. J'ai tout de suite profité de l'occasion et je l'ai invitée à une soirée qui se donnait chez un voisin le samedi soir suivant.

– Je ne sais pas si maman voudra, m'a-t-elle répondu. Elle ne me permet pas de sortir seule avec un garçon.

– Mais il n'en est pas question, lui ai-je dit. Il faut amener votre sœur Maria, et moi-même j'inviterai mon frère jumeau, Auguste. D'ordinaire, il m'accompagne. Ce soir il n'a pas pu venir. Samedi après-midi, nous irons tous deux chez vous, rencontrer vos parents, et avec leur permission nous vous conduirons à cette soirée.

Vous pensez bien que le samedi suivant, nous avions mis nos plus beaux habits pour rencontrer la famille. Là il nous a fallu subir un interrogatoire en règle et raconter comment nous avions abouti dans le nord de l'Ontario depuis Saint-Protais. Ils parurent impressionnés que nous ayons été emmenés par Monsieur Ernest Boisclair, qui était bien connu dans la région, et surtout du fait que notre frère André serait ordonné prêtre en juin. Et c'est ainsi qu'ont commencé nos amours avec les sœurs Bisson. Comme nous avions tous deux hâte d'avoir une maison et une famille à nous, et puisque nous avions un travail permanent, les noces ont été fixées au mercredi 6 août 1924.»

Victor et moi étions invités, il va sans dire, mais comme ils pensaient bien qu'il nous serait impossible de nous y rendre, ils avaient l'intention de faire leur voyage de noces à Saint-Protais.

Comme prévu, André a été ordonné prêtre en juin, à Montréal. Victor m'y a emmenée. Cet événement a été une étape marquante de ma vie. Le spectacle de la grande ville de Montréal, de l'animation des rues, les nombreuses automobiles qui y circulaient, m'ont rappelé Boston et Springfield. Et la cérémonie, donc! On avait réservé toute une section à l'avant de la basilique Notre-Dame pour les parents des nouveaux ordonnés. Il y avait plus de soixante-quinze jeunes gens appelés au sacerdoce, comme l'a souligné le prédicateur. Quand il y a eu prostration des nouveaux prêtres, j'ai été on ne peut plus impressionnée.

Cette belle cérémonie a été suivie d'un banquet au cours duquel il y a eu de nombreux discours. J'avais espéré qu'André serait nommé vicaire dans une paroisse des Cantons de l'Est. Mais non, il a été nommé à Montréal. Il nous a promis de venir nous visiter, non seulement pour bénir le mariage de sa sœur, mais aussi pour rencontrer les jumeaux et leurs femmes.

Il avait obtenu du curé de la paroisse de Sainte-Cunégonde où il était maintenant vicaire de prendre des vacances à ce moment. Pour accommoder tout le monde, le mariage de Marie-Jeanne et de François avait été fixé au 13 août.

Quelle joie ç'a été pour moi de voir arriver mes grands fils et de connaître mes deux brus, toutes deux jolies brunes au teint clair.

Le mariage a été célébré devant toute la famille. Encore une fois notre vieille maison a retenti de joyeuses célébrations. J'ai remarqué que les jumeaux employaient des expressions anglaises entre eux, ce qui me rappelait mon séjour aux États-Unis. Ils ont demeuré chez nous durant une semaine, tandis que Marie-Jeanne et son mari faisaient leur voyage de noces à la ville de Québec, où François avait fait ses études. Puis les jumeaux ont repris le train pour Saint-Lin, où leurs femmes avaient de la famille, avant de retourner reprendre leur travail dans les mines de Timmins.

Leur père se faisait expliquer en quoi consistait leur travail. D'après eux, ils étaient occupés surtout à pelleter le minerai qui avait été préparé par les préposés à la dynamite qui, eux, fracturaient la pierre par des explosions contrôlées. Ce minerai était chargé sur des chariots circulant sur des rails souterrains, puis amené à la surface dans des monte-charges spéciaux pour être acheminé au broyeur avant d'être envoyé aux hauts fourneaux.

– Est-ce que vous travaillez creux sous terre?

– Nous sommes dans la galerie à quatre mille pieds.

– Aïe! Ça vous énerve pas de descendre si creux?

– On s'y habitue, son père. Ce que je trouve le pire, c'est durant l'hiver, quand on travaille de jour. La journée est si courte, là-bas, qu'on voit jamais le soleil. Le matin, quand on commence à huit heures, le soleil est pas levé. Et quand on sort à cinq heures, il est déjà couché. Mais au moins on touche toujours notre salaire, a conclu Auguste.

Quelques années plus tard, j'ai été bien contente de savoir leur travail assuré quand la crise a frappé soudainement, en novembre 1929. À partir de ce moment-là, les journaux de Montréal parlaient de longues files de chômeurs qui erraient dans la ville à la recherche d'emplois introuvables; des photos montraient des gens jetés sur le pavé avec leurs meubles parce qu'ils n'avaient pu payer leur loyer.

Même à Saint-Protais, nous avons vu des jeunes gens qui étaient partis pour la ville depuis quelque temps et qui en revenaient pour ne pas crever de faim. Au moins, dans une ferme, avec un jardin, on pouvait s'assurer d'avoir des légumes, et leurs familles leur donnaient de la viande quand elles faisaient boucherie.

Je craignais que les jumeaux perdent aussi leur emploi; leurs lettres m'ont rassurée. Même si la compagnie minière avait restreint ses opérations, très peu d'employés avaient été mis à pied. Eux n'avaient pas été inquiétés, ayant déjà plus de cinq ans d'ancienneté. Les trains de marchandises venant du sud amenaient quantité de jeunes hommes à la recherche de travail, cependant, on n'embauchait pas dans les mines, ni dans les fabriques de papier comme celle d'Iroquois Falls. Chanceux étaient ceux qui conservaient leur emploi.

Les recettes de notre magasin avaient beaucoup baissé, le gros des affaires étant lié aux chantiers forestiers. La frontière américaine était fermée et il fallait des cérémonies pour y passer. D'ailleurs les chantiers forestiers du Maine et du New Hampshire avaient cessé leurs opérations. Il y avait des chantiers qui fonctionnaient toujours du côté canadien, au Lac Mégantic par exemple, mais les conditions étaient très dures. Avec tant de gens qui se cherchaient des emplois, les propriétaires n'avaient pas à se gêner. Ainsi, on racontait que dans certains chantiers, pour la drave surtout, les ouvriers qui faisaient une chute dans l'eau glacée n'avaient pas le droit d'aller se changer de vêtements et devaient travailler toute la journée avec des habits mouillés.

Pour plus d'économie, on préparait de la nourriture pour une quantité de personnes inférieure au nombre de travailleurs, de sorte que lorsque les derniers employés arrivaient pour être servis, il ne restait plus rien. S'ils se plaignaient, on leur disait :

– Si vous n'êtes pas contents, vous n'avez qu'à partir. Il y a quantité d'hommes qui sont prêts à vous remplacer.

Dieu merci, les miens étaient mieux nantis. Les jumeaux travaillaient toujours à la mine, avaient des appartements confortables et déjà deux enfants chacun. Même que Maria, la femme d'Auguste, en attendait un troisième.

Quant au mari de Marie-Jeanne, il avait sa permanence comme inspecteur. Je me souvenais avec honte comme j'avais été déçue quand je m'étais aperçue que j'étais de nouveau enceinte et que j'attendais des jumeaux. S'ils n'étaient pas nés, il ne me resterait plus que Marie-Jeanne!

XVIII

Les années trente sont arrivées et la crise économique continuait toujours. Victor avait maintenu son abonnement à *La Presse* et il avait pris l'habitude de me lire les principales nouvelles pendant que je lavais la vaisselle du souper. Comme la clientèle avait tellement diminué, il n'avait qu'à laisser la porte ouverte entre le magasin et la cuisine pour voir si quelqu'un entrait. Et malheureusement, quand il venait un client, c'était bien des fois pour demander du crédit. Mon bon Victor cédait plus souvent qu'il n'aurait dû, comme nous nous en sommes aperçus plus tard. Mais, surtout durant l'hiver, comment refuser à un père de famille nombreuse de la farine et de la levure pour que sa femme puisse boulanger son pain ?

En fait, les années trente-trois et trente-quatre ont vu le creux de cette crise. Après, les choses ont semblé reprendre un peu, mais à mesure que les années passaient, on parlait de plus en plus de guerre. Je me disais qu'il n'était pas possible qu'un pareil malheur se produise deux fois à des époques si rapprochées.

Les vieux qui se rassemblaient au magasin tous les soirs vers sept heures et demie, non pour acheter mais pour jouer aux dames, en parlaient, et comme pour la première guerre, ne manquaient pas de dire : « M'est avis que s'il y a une guerre, elle va être ben courte. Avec les machines qu'ils ont maintenant, ça peut pas durer. »

J'avais envie de leur crier : «Vous vous souvenez pas que c'est exactement ce que tout le monde disait en 1914?» À quoi bon, me disais-je. Mieux vaut se taire. Puis à l'été 1938, alors que la guerre semblait imminente, Chamberlain, le premier ministre britannique, avait tout arrangé.

En 1939, il y eut des troubles au pays. Dans certaines villes, des gens paradaient dans les rues en gueulant contre les Juifs. Le 25 août, Victor m'a lu dans le journal que l'on avait éteint les lumières à Paris et à Londres. Le 28 août, Mussolini en personne a assuré à Mackenzie King, notre premier ministre, qu'il ne négligeait rien pour maintenir la paix. Le lendemain, Hitler déclarait n'avoir pas trouvé complètement négative la note que lui avait envoyée l'Angleterre. Malgré tout, les journaux nous ont appris que, le premier septembre, l'Allemagne avait envahi la Pologne et que le roi d'Angleterre avait décrété l'état de guerre. Je m'en souviens comme si c'était hier, puisque c'est ce jour-là qu'est né le troisième enfant de Marie-Jeanne, et son premier fils, qu'on a baptisé François-Victor.

Encore une fois nous étions en guerre, le Parlement canadien a déclaré la guerre la semaine suivante. Comme en 1914, les politiciens nous assuraient qu'il n'y aurait pas de conscription. On savait ce que ces promesses valaient. À Noël, Victor était allé à Montréal pour acheter du stock, les ventes ayant un peu augmenté. Il est revenu avec le plus beau cadeau de Noël que j'aie jamais eu : un petit poste de radio.

C'était merveilleux, cette invention-là! On pouvait écouter de la musique, des chansons, des nouvelles. C'est ainsi qu'on a appris, en décembre 1941, que les Japonais avaient bombardé la flotte américaine et que les

États-Unis avaient déclaré la guerre. Alors les vieux affirmèrent à nouveau que cette guerre ne pouvait durer.

En attendant, les usines avaient repris vie, comme par enchantement. Alors qu'il n'y avait pas de travail avant et qu'il n'y avait pas d'argent, là on n'en manquait plus. Non seulement le chômage avait disparu, mais maintenant on avait besoin d'ouvriers. Allez y comprendre quelque chose! J'ai demandé à Victor où cet argent-là se trouvait durant les années trente. Il ne le savait pas.

Quand le gouvernement a annoncé l'enregistrement national, j'étais sûre que la conscription suivrait, malgré les promesses de M. Ernest Lapointe. Il nous disait que c'était nécessaire pour trouver assez de monde pour alimenter les industries de guerre et afin de distribuer les coupons de rationnement aux familles. Alors qu'avant, les fermiers ne trouvaient pas d'acheteurs pour leurs produits, maintenant il fallait des coupons pour acheter du sucre, de la viande et de l'essence et nous étions obligés de ramasser ces coupons-là et d'en rendre compte au gouvernement.

C'est à ce moment-là que Victor a décidé de vendre le magasin. Nous n'avions plus d'enfants pour prendre charge du commerce. Les jumeaux ne travaillaient plus dans les mines. Ils avaient déménagé dans le sud de l'Ontario pour travailler dans les manufactures. Ils gagnaient plus d'argent que jamais et nous écrivaient que le climat était bien meilleur dans le sud que dans le Nord. Leurs enfants étaient trop jeunes pour être conscrits, mais le jeune frère de Louise et de Maria, mes deux brus, était entré dans l'aviation. L'année suivante il est parti en Europe. Puis commencèrent les bombardements, et durant un raid sur la France occupée, son avion a été abattu. La famille n'a jamais su où il était enterré.

Enfin, on a appris à la radio que la guerre était finie. J'ai alors craint que peut-être nous aurions une épidémie comme en 1918, et que les gens se mettraient à mourir de grippe espagnole ou autre. Mais non, plus rien ne se passait qui ressemblait à ce que nous avions connu. Apparemment, on avait découvert de nouveaux médicaments miracles qui guérissaient les gens presque du jour au lendemain. Si seulement ils avaient eu ça quand mes deux grands fils, Antonio et Doria, étaient morts en 1918!

Il faut dire que tout n'était pas rose. Je ne pouvais m'empêcher de penser à ces jeunes gens qui étaient chômeurs dans les années trente et à qui, tout à coup, on avait demandé d'aller mourir pour la civilisation. Ça avait été leur seule carrière assurée.

Maintenant que l'argent circulait comme jamais, Victor a trouvé à vendre son magasin à un couple qui voulait se rapprocher du village et de l'église. Alors nous nous sommes acheté une petite maison. Dire que j'aurais tant voulu avoir une maison à moi quand j'étais jeune mariée, maintenant j'en avais une, mais je n'étais pas destinée à en jouir bien longtemps.

Deux ans après avoir déménagé dans notre petite maison, mon bon Victor est mort subitement. Il n'avait que soixante-dix ans.

Aussitôt, Marie-Jeanne et son mari arrivèrent de Sherbrooke et André de Montréal.

Celui-ci avait été nommé curé d'une grosse paroisse de la métropole, dans un quartier riche. Il arrivait bien décidé à me ramener avec lui à Montréal.

– Vous ne pouvez rester seule dans cette maison, m'a-t-il dit. Venez avec moi à Montréal. Je vais vous trouver une bonne place et nous pourrons nous voir souvent, a-t-il ajouté avec ce sourire auquel je n'avais jamais pu résister.

– Mais non, intervenait Marie-Jeanne de son côté, c'est chez moi que maman viendra vivre. N'est-ce pas François que nous aurions une belle chambre pour elle?

– Bien sûr que oui, Maman Marcellan, c'est chez nous que vous devez venir vivre.

– Un moment, mes enfants, c'est bien gentil à vous de décider du reste de ma vie, cependant je voudrais aussi avoir mon mot à dire. Vous savez, au début de notre mariage, nous aurions bien voulu avoir notre maison à nous. Surtout moi, mais ce ne fut pas possible. Quand votre père a vendu le magasin et qu'il a acheté cette petite maison, c'était comme l'aboutissement d'un rêve. Hélas, je n'en ai pas joui bien longtemps, lui encore moins. Mais maintenant j'aimerais y vivre. Je comprends que je ne suis pas jeune, mais je ne suis pas malade et j'ai de bons voisins, à commencer par Philomène Boisclair, ma sage-femme qui a mis tous mes enfants au monde, excepté les jumeaux. Elle est plus âgée que moi, mais elle est d'une vitalité qui n'a pas diminué. Elle vient faire son tour tous les jours. Et sans compter les autres voisins que j'ai connus toute ma vie. Si j'avais besoin d'aide, je n'aurais pas de difficulté à en trouver. Même les Dubé, qui ont acheté notre magasin, ont maintenant le téléphone. Alors si besoin était, ils pourraient vous téléphoner. Non, vraiment, merci encore une fois, mais laissez-moi jouir de ma petite maison.

– Bon, puisque c'est là votre désir, a dit François, au moins je peux m'organiser pour vous faire installer le téléphone. Comme cela nous pourrons nous parler quand ça vous tentera.

Cela a paru régler la question. J'aimais bien mes enfants, mais j'ai été soulagée de les voir repartir.

Philomène Boisclair avait guetté les automobiles stationnées devant ma porte; dès qu'elle les a vues partir, elle est venue aux nouvelles.

– Alors? dit-elle en entrant. Vous partez ou vous restez?

– Je reste.

– Comme vous faites bien. Nous allons nous entraider. Moi, j'aime bien ma bru, Léontine, mais parfois j'aimerais ça être comme vous, surtout quand les enfants sont tapageurs.

– D'autant plus que mon gendre, François Lacroix, me dit qu'il va me faire installer le téléphone. Alors, si jamais vous ou quelqu'un de chez vous en aviez besoin, ne vous gênez pas.

– N'est-ce pas que la vie a bien changé depuis les vingt-cinq dernières années? Avec la radio, on est au courant de ce qui se passe dans le monde.

– Hé oui, a dit Philomène. On se demande où ça va finir. Enfin, moi je suis contente de pouvoir faire mes tapis crochetés. J'ai plus de demandes que je n'en peux fournir.

– Ils sont tellement beaux, je ne suis pas surprise.

En effet, Philomène s'était acquis une réputation de véritable artiste avec ses tapis de laine crochetés à la main qu'elle colorait avec des teintures extraites de plantes cueillies durant l'été. Ses tapis avaient ceci de particulier que les dessins étaient en relief.

– Même si j'ai bien des demandes, je vais vous en faire un, une belle descente de lit. Qu'est-ce que vous voudriez y voir comme dessin?

– Des roses, lui ai-je dit. Ce sont mes fleurs favorites. J'ai vu celui que vous avez crocheté pour Madame Dubé. Il était bien beau.

– Je vous en fais un encore plus beau, a-t-elle promis avant de partir.

C'était une promesse que j'aurais peut-être dû prendre comme une menace!

XIX

Philomène a tenu parole et m'a crocheté une magnifique descente de lit où, sur fond bleu foncé, couraient des tiges de roses grimpantes de différentes teintes de rose avec les fleurs et les feuilles en relief. Quand elle me l'a apportée je l'ai mise tout de suite près de mon lit, mais avec le temps j'ai commencé à penser qu'elle était tellement belle qu'elle devrait plutôt être un ornement dans mon salon pour que plus de gens la voient.

Quand Marie-Jeanne est venue me rendre visite depuis Sherbrooke – ma petite casse-cou avait appris à conduire l'automobile elle-même, ce que très peu de femmes faisaient alors – je lui ai demandé ce qu'elle en pensait. Elle a admiré le travail de Philomène et m'a dit que vraiment cette femme était une artiste authentique et qu'à la prochaine exposition agricole régionale elle verrait à ce que ses tapis soient exposés. Elle était sûre qu'elle gagnerait un prix.

– Qu'est-ce que tu penses, si je la plaçais plutôt devant le canapé du salon?

– Ce serait très beau, maman, et cela mettrait une touche de gaieté dans votre salon où la couleur manque un peu, a-t-elle ajouté en désignant le canapé vert foncé, le coussin de la chaise berçante et le fauteuil tous de la même teinte. Aussi n'ai-je eu rien de plus pressé que d'aller chercher le tapis et de l'étendre devant le canapé.

Toutes deux nous avons admiré le bel effet de gaieté que ça faisait.

Hélas, j'aurait dû me douter que j'étais rendue oublieuse et peu alerte. Dès le lendemain, alors que je circulais dans le salon pour m'étendre sur le canapé et écouter les nouvelles à la radio, j'ai trébuché sur le tapis et je suis tombée si malencontreusement que j'ai d'abord cru que je m'étais cassé la jambe. Je suis parvenue à m'étendre sur le canapé et j'ai frotté le genou. Il pliait, mais il était douloureux. Alors j'ai attendu que vienne Philomène, puisqu'elle venait tous les après-midi.

De fait, elle n'y a pas manqué. Elle a examiné ma jambe et m'a dit qu'il fallait consulter un médecin.

En attendant qu'il vienne, elle m'a préparé une tisane et m'a apporté du baume de wintergreen, qu'elle fabriquait elle-même avec de l'écorce de bouleau. Sa tisane a apaisé la douleur et m'a permis de dormir. Mais le lendemain, quand Marie-Jeanne est venue de Sherbrooke et qu'elle m'a vue avec mon genou tout enflé, elle m'a dit qu'elle me ramenait chez elle pour consulter un spécialiste à l'hôpital. Mon genou me faisait tellement mal que je ne pouvais me porter dessus sans me tenir aux meubles. Je n'ai donc pas refusé son offre.

Le spécialiste a confirmé qu'il n'y avait pas d'os de brisé mais que je m'étais fait une belle entorse au genou et qu'il faudrait plusieurs semaines pour guérir.

– J'espère seulement que l'osteoarthrite ne s'y mettra pas.

Je n'ai pas été surprise de voir arriver André avant la fin de la semaine. Évidemment, c'est Marie-Jeanne qui l'avait appelé.

– Cette fois-ci, maman, je compte bien que vous allez être de mon avis. Je vais vous trouver une bonne place à Montréal, pas trop loin de l'évêché. Maintenant que j'ai été nommé chancelier du diocèse, c'est là que je demeure. Quand vous serez remise et que le médecin le permettra, je viendrai vous chercher.

Je n'ai pas osé m'y opposer et j'ai pensé avec bonheur qu'il serait tout près, ce dont il m'a assurée, avec son plus beau sourire.

C'est ainsi que trois semaines plus tard je me suis retrouvée à l'Hospice pour dames des Sœurs du Mont-Thabor.

La porte s'ouvrit brusquement et Mère Saint-Édouard d'Alexandrie a paru sur le seuil :

– Sa Grandeur Monseigneur Marcellan va venir dire la messe à sept heures et demie. Vous n'avez que le temps de vous habiller. Avez-vous bien dormi, Madame Marcellan?

– Très bien, ma Mère, merci.

– Parce que je veux que votre fils vous trouve bien reposée et en bonne santé. Je vous laisse à votre toilette et je reviendrai vous chercher à temps pour la messe.

– Vous êtes bien chanceuse d'avoir bien dormi. Moi, je n'ai pu fermer l'œil de la nuit, s'est plainte Mlle Malenfant.

J'avais à peine fini de m'habiller que Mère Saint-Édouard revenait, conduisant mon fils. Il me semblait qu'il avait encore grandi, ou peut-être était-ce l'effet de la soutane avec liseré rouge et la grande croix pectorale.

– Merci, ma Mère. Laissez-moi seulement la chaise roulante et je pousserai ma mère moi-même jusqu'à la chapelle.

Mère Saint-Edouard est sortie en disant :

– Venez avec moi, Mlle Malenfant. J'ai à vous parler.

La vieille demoiselle est sortie, mais le désappointement se peignait sur son visage.

– Ne vous levez pas, maman, m'a dit André. Restez assise, je vais vous bénir, a-t-il continué en joignant le geste à la parole. J'ai fait un signe de croix.

– Vous paraissez bien, maman. Vous vous sentez bien?

– Mais oui. Aussi bien je suppose qu'on peut se sentir quand on approche de quatre-vingts ans.

– Vous êtes satisfaite de l'Hospice? La nourriture est-elle bonne?

– Je n'ai pas à me plaindre.

– Et votre compagne de chambre, Mademoiselle Malenfant?

– Elle ronfle, mais à part ça, elle est assez gentille.

– Est-ce qu'elle vous empêche de dormir? Voulez-vous que je demande qu'on vous change de chambre.

– Mais non, je ne voudrais pas lui faire cette peine-là. D'ailleurs, maintenant j'y suis habituée. S'il fallait que je m'éveille une nuit et que je n'entende rien, cela me ramènerait à cette triste nuit où je n'ai pu résister au sommeil : quand je me suis réveillée et que j'ai été confrontée au silence parfait, alors j'ai su que, pour la troisième fois, l'un de mes fils avait rendu son dernier soupir. Alors, laisse-moi Mlle Malenfant, je t'en prie.

Malgré moi, les larmes m'étaient montées aux yeux.

– Ne pleurez pas, maman. Que voulez-vous, il faut se résigner à la volonté de Dieu.

– Garde ces beaux sentiments pour tes diocésains, André. Je sais que Dieu est tout-puissant, mais parfois je trouve qu'il exagère. Aussi, lorsque j'arriverai devant lui, ce qui ne devrait pas trop tarder, j'aurai deux mots à lui dire. Vas-tu me gronder?

– Mais non, maman, vous ne changerez jamais.

Il me restait deux autres fils, mais ils étaient en Ontario. Je les voyais une fois par année, alors qu'ils arrivaient en automobile. Il y avait plusieurs années que les enfants ne les accompagnaient plus. Auguste en avait quatre, et Augustin trois. Marie-Jeanne aussi n'en avait que trois. Elles étaient bien chanceuses, les femmes d'aujourd'hui, qui pouvaient espacer les maternités à souhait. Et leurs enfants aussi, puisqu'ils allaient tous dans les hautes écoles, même les filles.

Mais André était un fils qui, je l'espérais, demeurerait toujours proche, et c'était un fils avec toutes les décorations que l'Eglise lui avait décernées jusqu'à maintenant. Et il y avait ses beaux yeux bleus, bleus comme la flamme du gaz du poêle de cuisine de la Tante Oblore au Massachusetts.

Soudain je me suis retrouvée dans le train qui me ramenait à Saint-Protais pour épouser mon bon Victor. Je voyais alors l'avenir clair comme le ciel de ce beau jour. Heureusement qu'on ne connaît pas les deuils qui nous attendent!

Maintenant, j'étais infirme, comme ma sœur Jeanne. Ce n'était que justice. Pauvre Jeanne! J'espère qu'elle voyait sa fille Marie-Jeanne de là-haut. Elle devait en être fière. Il faudra que je lui en parle lorsque j'irai la rejoindre. Mais auparavant, j'aurai deux mots à dire au Créateur.

TABLE

Dans la collection

Romans

- Jean-Louis Grosmaire, **Un clown en hiver**, 1988, 176 pages. Prix littéraire **Le Droit**, 1989.
- Yvonne Bouchard, **Les migrations de Marie-Jo**, 1991, 196 pages.
- Jean-Louis Grosmaire, **Rendez-vous à Hong Kong**, 1993, 276 pages.
- Jean-Louis Grosmaire, **Les chiens de Cahuita**, 1994, 240 pages.
- Hédi Bouraoui, **Bangkok blues**, 1994, 166 pages.
- Jean-Louis Grosmaire, **Une île pour deux**, 1995, 194 pages.
- Jean-François Somain, **Une affaire de famille**, 1995, 228 pages.
- Jean-Claude Boult, **Quadra. Tome I. Le Robin des rues**, 1995, 620 pages.
- Jean-Claude Boult, **Quadra. Tome II. L'envol de l'oiseau blond**, 1995, 584 pages.
- Éliane P. Lavergne. **La roche pousse en hiver**, 1996, 188 pages.
- Martine L. Jacquot, **Les Glycines**, 1996, 208 pages.
- Jean-Eudes Dubé, **Beaurivage. Tome I**, 1996, 196 pages.
- Pierre Raphaël Pelletier, **La voie de Laum**, 1997, 164 pages.
- Jean-Eudes Dubé, **Beaurivage. Tome II**, 1998, 196 pages.
- Geneviève Georges, **L'oiseau et le diamant**, 1999, 136 pages.
- Gabrielle Poulin, **Un cri trop grand**, 1999, 240 pages.
- Jean-François Somain, **Un baobab rouge**, 1999, 248 pages.
- Jacques Lalonde, **Dérives secrètes**, 1999, 248 pages.
- Jean Taillefer, **Ottawa, P.Q.**, 2000, 180 pages.
- Didier Leclair, **Toronto, je t'aime**, 2000, 182 pages.
- Hélène Brodeur, **Marie-Julie**, 2001, 180 pages.

Marie-Julie
est le deux cent-dix-septième titre
publié par les Éditions du Vermillon

Composition
en Bookman, corps onze sur quinze
et mise en page
Atelier graphique du Vermillon
Ottawa (Ontario)

Films, impression et reliure
Imprimerie Gauvin
Hull (Québec)

Achevé d'imprimer
en mars 2001
sur les presses de
l'imprimerie Gauvin
pour les Éditions du Vermillon

ISBN 1-894547-04-7
Imprimé au Canada